# Maneiras de amar

# Maneiras de amar

DR. AMIR LEVINE E
RACHEL S.F. HELLER

Título original: *Attached*
Copyright © 2010 por Amir Levine e Rachel Heller
Copyright da tradução © 2021 por GMT Editores Ltda.

Todos os direitos reservados. Nenhuma parte deste livro pode ser utilizada ou reproduzida sob quaisquer meios existentes sem autorização por escrito dos editores.

*tradução:* Livia de Almeida
*preparo de originais:* BR75 | Silvia Rebello
*revisão:* Ana Grillo, Hermínia Totti e Luis Américo Costa
*capa:* Kathy Kikkert
*adaptação de capa e diagramação:* Miriam Lerner | Equatorium Design
*imagem de capa:* Paul Tearle/ Getty Images
*impressão e acabamento:* Bartira Gráfica

CIP-BRASIL. CATALOGAÇÃO NA PUBLICAÇÃO
SINDICATO NACIONAL DOS EDITORES DE LIVROS, RJ

L645m

Levine, Amir
 Maneiras de amar / Amir Levine, Rachel S.F. Heller ; tradução Livia de Almeida. 1. ed. - Rio de Janeiro : Sextante, 2021.
 272 p. ; 23 cm.

 Tradução de: Attached : the new science of adult attachment and how it can help you find and keep love
 ISBN 978-65-5564-162-2

 1. Comportamento de apego. 2. Relações humanas. 3. Intimidade (Psicologia). I. Heller, Rachel S.F. II. Almeida, Livia de. III. Título.

21-70245
CDD: 158.2
CDU: 159.942.2

Meri Gleice Rodrigues de Souza - Bibliotecária - CRB-7/6439

Todos os direitos reservados, no Brasil, por
GMT Editores Ltda.
Rua Voluntários da Pátria, 45 – 14º andar – Botafogo
22270-000 – Rio de Janeiro – RJ
Tel.: (21) 2538-4100
E-mail: atendimento@sextante.com.br
www.sextante.com.br

*Para meu pai, que me ensinou a furar as maiores ondas, e para minha mãe, que tornou a descoberta científica parte da minha criação.*
A. L.

*Para minha família.*
R. H.

# Sumário

**Introdução**
*A nova ciência do apego adulto*

   1. Decodificando o comportamento nos relacionamentos ........ 13
   2. Dependência não é palavrão ......................................... 27

**Parte 1**
*Ferramentas para lidar com relacionamentos: como decifrar os estilos de apego*

   3. Primeiro passo: qual é o meu estilo de apego? .................... 45
   4. Segundo passo: decifrando o código – qual é o estilo de apego do outro? ................................................................ 55

**Parte 2**
*Os três estilos de apego na vida cotidiana*

   5. A vida com um sexto sentido para o perigo: o estilo de apego ansioso ................................................................ 81
   6. Mantendo o amor a distância: o estilo de apego evitativo .... 109
   7. Aproximação confortável: o estilo de apego seguro .......... 129

## Parte 3
*Quando os estilos de apego se chocam*

    8. A armadilha ansioso-evitativo ..................................... 147
    9. Para escapar da armadilha: como o casal ansioso-evitativo pode encontrar mais segurança ................................. 157
    10. Quando o anormal se torna a norma: um guia para o rompimento com apego ......................................... 187

## Parte 4
*O jeito seguro: como afiar suas habilidades de relacionamento*

    11. Comunicação efetiva: transmitindo a mensagem ........... 207
    12. A busca de uma solução: cinco princípios seguros para lidar com o conflito ............................................ 227

Epílogo ..................................................................... 249
Agradecimentos ........................................................ 255
Bibliografia .............................................................. 259
Sobre os autores ...................................................... 265

## Nota dos autores

Neste livro, condensamos anos de pesquisas sobre o apego adulto em um guia prático para o leitor que deseja encontrar um bom relacionamento ou melhorar um relacionamento existente. A teoria do apego é um campo vasto e complexo da pesquisa sobre o desenvolvimento infantil e a criação dos filhos, que também pode ser aplicada aos relacionamentos românticos. Trataremos aqui apenas do apego romântico e dos relacionamentos amorosos.

Ao escrever este livro, procuramos transformar ideias acadêmicas complexas em recursos práticos para a vida cotidiana. Ao longo do texto, fazemos referências a diversos pesquisadores, mas sem dúvida deixamos de citar outros tantos. Somos eternamente gratos ao maravilhoso trabalho de incontáveis mentes criativas neste campo e lamentamos não poder mencionar todas.

## Introdução

# A nova ciência do apego adulto

# 1

## *Decodificando o comportamento nos relacionamentos*

- *Faz apenas duas semanas que estou saindo com esse cara e já me sinto doente de tanto pensar que talvez ele não me ache tão atraente, de pensar obsessivamente se ele vai ligar ou não! Sei que acabarei mais uma vez transformando minha insegurança em uma profecia autorrealizável e arruinarei mais uma chance de manter um relacionamento!*
- *O que está errado comigo? Sou um sujeito inteligente, de boa aparência, com uma carreira de sucesso. Tenho muito a oferecer. Saí com algumas mulheres incríveis, mas invariavelmente, depois de algumas semanas, eu perco o interesse e começo a me sentir preso. Não deveria ser tão difícil encontrar alguém com quem eu seja compatível.*
- *Sou casada há anos. No entanto, sinto-me completamente só. Meu marido nunca foi de discutir suas emoções ou de ter conversas sobre o relacionamento, mas as coisas pioraram muito. Ele fica até tarde no trabalho quase todo dia e nos fins de semana passa o tempo todo no campo de golfe com os amigos ou assistindo ao canal de esportes na TV. Não há quase nada que nos mantenha unidos. Talvez eu estivesse melhor sozinha.*

\*\*\*

Cada um desses problemas é extremamente doloroso, atingindo o núcleo mais profundo da vida das pessoas. No entanto, nenhuma explicação ou solução dá conta de todos eles. Cada caso parece único e pessoal; cada um se origina de uma série infindável de causas possíveis. Decifrá-los exigiria um profundo conhecimento de todos os envolvidos. Antecedentes, relacionamentos anteriores e personalidade são apenas algumas das avenidas que um terapeuta precisaria percorrer. Pelo menos isto é o que nós, clínicos da área da saúde mental, aprendemos. E acreditávamos que assim fosse até a chegada de uma nova descoberta – uma descoberta que forneceu uma explicação simples para *os três problemas* descritos anteriormente e para muitos outros. A história dessa descoberta e do que aconteceu a seguir é o assunto deste livro.

## Basta amar?

Alguns anos atrás, Tamara, uma grande amiga, começou a sair com alguém que acabara de conhecer.

> *A primeira vez que reparei em Greg estávamos em uma festa na casa de uma amiga. Ele era incrivelmente atraente e fiquei lisonjeada por ter chamado sua atenção. Alguns dias depois, fomos jantar com outras pessoas e eu não consegui resistir ao brilho de empolgação em seu olhar quando ele me fitava. Mas o que mais me atraiu foram suas palavras e a promessa implícita de união que elas transmitiam. A promessa de nunca estar só. Ele dizia coisas como "Tamara, não precisa ficar sozinha em casa. Pode vir para cá e trabalhar aqui"; "Pode me chamar sempre que quiser". Essas declarações me davam conforto. O conforto de pertencer a alguém, de não estar sozinha no mundo. Se eu tivesse ouvido com atenção, poderia ter percebido facilmente que havia outra mensagem, incongruente com essa promessa, uma mensagem que deixava claro que Greg temia se aproximar demais e*

*que não se sentia à vontade com compromissos. Mencionara diversas vezes que nunca havia mantido um relacionamento estável – que por algum motivo sempre se cansava de suas namoradas e sentia a necessidade de partir para outra.*

*Embora eu pudesse identificar essas questões como potencialmente problemáticas, na ocasião eu não sabia como avaliar suas implicações. Tudo o que eu tinha para me guiar era a crença com que tantos de nós fomos criados. A crença de que o amor sempre vence. E assim deixei que o amor me vencesse. Para mim, nada era mais importante do que estar na companhia dele. No entanto, persistiam as outras mensagens, aquelas que indicavam sua incapacidade de assumir compromisso. Eu as descartava, confiante de que comigo as coisas seriam diferentes. Claro que eu estava errada. À medida que ficamos mais próximos, suas mensagens se tornaram mais imprevisíveis e tudo começou a desmoronar. Ele passou a me dizer com certa frequência que estava ocupado demais para se encontrar comigo. Às vezes, alegava que o trabalho estava "uma loucura" e perguntava se poderíamos nos encontrar apenas no fim de semana. Eu concordava, mas por dentro pressentia que alguma coisa estava errada. Mas o que seria?*

*A partir daí, passei a me sentir sempre ansiosa. Preocupava-me com seu paradeiro e me tornei hipersensível a qualquer sinal que pudesse indicar que ele pretendia se separar de mim. No entanto, ainda que o comportamento de Greg deixasse clara sua insatisfação, a alternância entre momentos de afastamento e momentos de afeto me levava a não romper o relacionamento.*

*Depois de algum tempo, os altos e baixos cobraram seu preço e eu não conseguia mais controlar minhas emoções. Não sabia como agir e, contrariando meu bom senso, eu evitava fazer planos com os amigos para estar disponível caso ele aparecesse. Perdi completamente o interesse em tudo que era importante para mim. Não demorou muito para que o relacionamento não suportasse tanta pressão e chegasse a um término desastroso.*

\*\*\*

Como amigos de Tamara, a princípio nos sentimos felizes por ela ter conhecido alguém que a empolgava. À medida que o relacionamento se desenrolava, porém, ficamos cada vez mais preocupados com suas crescentes inquietações a respeito de Greg. Sua vitalidade deu lugar à ansiedade e à insegurança. Passava a maior parte do tempo à espera de uma ligação de Greg ou angustiada e preocupada demais com o relacionamento para conseguir se divertir com a gente, como tantas vezes no passado. Ficou claro que seu trabalho também estava sendo impactado e ela temia perder o emprego. Sempre consideramos Tamara uma pessoa equilibrada e resiliente, mas começamos a conjeturar se havíamos nos enganado a seu respeito. Embora Tamara pudesse identificar no histórico de Greg sua incapacidade de manter um relacionamento sério, tivesse consciência de que ele era imprevisível e até mesmo reconhecesse que provavelmente ficaria melhor sem ele, ela não conseguia reunir forças para deixá-lo.

Para nós, profissionais experientes na área de saúde mental, era muito difícil aceitar que uma mulher sofisticada e inteligente como Tamara tivesse se desviado tanto do seu comportamento habitual. Por que uma mulher tão bem-sucedida agiria de modo tão indefeso? Por que alguém que sabíamos ser capaz de se adaptar tão bem aos desafios da vida se tornava tão impotente nessa situação? O outro lado da equação era igualmente desconcertante. Por que Greg emitia mensagens tão conflitantes, embora estivesse claro até para nós que ele a *amava*? Havia muitas respostas psicológicas complexas possíveis para essas perguntas. No entanto, uma percepção ao mesmo tempo surpreendentemente simples e abrangente surgiu de uma fonte inesperada.

## Do berçário terapêutico à ciência prática do amor adulto

Mais ou menos na mesma época em que Tamara namorava Greg, Amir estava trabalhando meio período no Berçário Terapêutico da Universidade Columbia, onde conduzia terapia baseada no apego para ajudar mães a estabelecerem vínculos mais seguros com os filhos. O efeito poderoso desse tratamento no relacionamento entre mãe e filho encorajou Amir a aprofundar seus conhecimentos sobre a teoria do apego. Isso acabou conduzindo-o a uma descoberta fascinante. Pesquisas feitas inicialmente por Cindy Hazan e Phillip Shaver indicavam que os adultos apresentam, com seus parceiros românticos, padrões de apego semelhantes àqueles existentes entre as crianças e seus pais. À medida que lia mais sobre o tema, Amir começou a reparar nos padrões de relacionamento dos adultos à sua volta. Percebeu que essa descoberta poderia ter implicações espantosas para a vida cotidiana.

A primeira coisa que Amir fez quando percebeu o amplo alcance das implicações da teoria do apego aplicada aos relacionamentos adultos foi ligar para Rachel, sua amiga de longa data. Ele descreveu para ela como a teoria explicava de forma efetiva a gama de comportamentos nos relacionamentos adultos e pediu que ela o ajudasse a transformar os estudos acadêmicos e os dados científicos que vinha lendo em orientações práticas que as pessoas pudessem aplicar em suas relações amorosas. E foi assim que este livro surgiu.

## O SEGURO, O ANSIOSO E O EVITATIVO

A teoria do apego adulto designa três principais "estilos de apego" ou "maneiras de amar" – que são as formas pelas quais as pessoas percebem e reagem à intimidade em relacionamentos amorosos –, semelhantes àqueles encontrados nas crianças: o Seguro, o Ansioso e o Evitativo. Basicamente, as pessoas *seguras* sentem-se à vontade com a intimidade e são em geral carinhosas e amorosas. Os *ansiosos* desejam intimidade, costumam se preocupar com os relacionamentos e tendem a ter dúvidas quanto à capacidade de seus parceiros em corresponder a seu amor. Os *evitativos* entendem a intimidade como uma perda de independência e tentam constantemente minimizar a proximidade. Além disso, pessoas com cada um desses estilos de apego diferem entre si:

- na visão do que é intimidade e união;
- no modo como lidam com conflitos;
- na atitude em relação ao sexo;
- na capacidade de comunicar desejos e necessidades;
- nas expectativas que nutrem a respeito do outro e do relacionamento.

Cada indivíduo na nossa sociedade, não importa se está no início de um namoro ou casado há 40 anos, se encaixa em uma dessas categorias. Pouco mais de 50% das pessoas são seguras, cerca de 20% são ansiosas, 25% são evitativas e as 3% a 5% restantes caem numa quarta categoria, menos comum, uma combinação dos estilos ansioso e evitativo.

A pesquisa do apego adulto produziu centenas de trabalhos científicos e dezenas de livros que delineiam com cuidado o modo como os adultos se comportam quando mantêm vínculos amorosos muito próximos. Esses estudos confirmaram muitas e muitas vezes a existência desses estilos de apego em adultos, presentes em uma grande variedade de países e culturas.

Compreender os estilos de apego é uma maneira fácil e confiável de entender e de prever o comportamento das pessoas em qualquer situação romântica. De fato, uma das principais mensagens transmitidas por essa teoria é a de que, em situações românticas, estamos programados para agir de uma maneira *predeterminada*.

### De onde vêm os estilos de apego?

A princípio, presumia-se que os estilos de apego adulto eram fundamentalmente um produto da educação. Assim, criou-se a hipótese de que seu estilo atual de apego é determinado pelo modo como você foi cuidado(a) quando era bebê. Pais sensíveis, disponíveis e solícitos levariam ao desenvolvimento de um adulto com estilo de apego seguro; um bebê com pais inconsistentes em suas reações tenderia a ser um adulto com um estilo

> de apego ansioso; bebês criados por pais distantes, rígidos e indiferentes tenderiam a se tornar adultos com um estilo de apego evitativo. Hoje em dia, porém, sabemos que os estilos de apego na vida adulta são influenciados por uma variedade de fatores. Um deles é, de fato, o modo como fomos tratados por nossos pais, mas outras questões também entram em campo, entre elas, nossas experiências de vida. Para saber mais, veja o capítulo 7.

## Tamara e Greg, uma nova perspectiva

Nós voltamos à história de nossa amiga Tamara e a enxergamos sob novíssimas luzes. A pesquisa sobre o apego continha um protótipo de Greg – dono de um estilo evitativo – que era fiel até os últimos detalhes. Resumia sua forma de pensar, de se comportar e de reagir ao mundo. Previa seu distanciamento, o jeito de encontrar defeitos em Tamara, de iniciar brigas que anulavam qualquer avanço no relacionamento e sua enorme dificuldade de dizer "eu te amo". Curiosamente, os resultados da pesquisa explicavam que, embora desejasse se aproximar dela, ele também se sentia compelido a afastá-la – não porque não estivesse "a fim" nem por achar que "ela não era suficientemente boa" (como Tamara concluíra). Pelo contrário, ele a afastava porque sentia que os dois estavam cada vez mais próximos e mais íntimos.

Como por fim verificamos, Tamara também não fugia aos padrões. Com surpreendente exatidão, a teoria também explicava seus comportamentos, pensamentos e reações, típicos de alguém com um estilo de apego ansioso. Esse perfil antecipava sua crescente insistência frente ao distanciamento do parceiro; previa sua incapacidade de concentração no trabalho, seus pensamentos constantes sobre a relação e o excesso de sensibilidade a tudo o que Greg fazia. Previa também que, mesmo tendo decidido terminar tudo, ela nunca conseguiria juntar coragem para levar isso adiante. Mostrava por que, contrariando o bom senso e o conselho de amigos próximos, ela fazia de tudo para tentar ficar perto dele. Mais importante, essa teoria revelava por que Tamara e Greg sentiam que era tão difícil se entenderem apesar de se amarem. Eles falavam línguas diferentes e exacerbavam as tendências naturais do outro – a dela, de buscar proximidade física e emocional, e a dele, de preferir a independência e recuar diante da intimidade. A precisão com que essa teoria descrevia aquele par era impressionante. Era como se os pesquisadores tivessem testemunhado os momentos mais íntimos do casal e seus pensamentos. As abordagens psicológicas podem ser um tanto vagas, deixando muito espaço para interpretação. Essa teoria, no entanto, fornecia um insight preciso, baseado em evidências, sobre o que parecia ser um relacionamento com características singulares.

Embora não seja impossível que alguém mude seu estilo de apego – em média, uma em cada quatro pessoas faz isso em um período de quatro anos –, nem todo mundo conhece esse campo de estudos. Assim, essas mudanças acontecem sem que os envolvidos saibam que elas ocorreram (ou os motivos que levaram a isso). Não seria ótimo, pensamos, se pudéssemos ajudar as pessoas a ter algum grau de controle sobre essas mudanças que tanto impacto causam na vida delas? Quanta diferença faria se pudessem trabalhar para se tornar conscientes de seus estilos de apego em vez de deixar que a vida as jogue de um lado para outro!

Conhecer esses três estilos de apego realmente abriu nossos olhos. Descobrimos que podíamos prever o comportamento ditado pelo apego adulto. Fomos capazes de enxergar nossos próprios comportamentos e as pessoas à nossa volta sob um novo ângulo. Ao identificarmos estilos de apego em pacientes, colegas e amigos, pudemos interpretar seus relacionamentos de uma forma diferente e aumentar significativamente a clareza que tínhamos sobre cada quadro. Seus comportamentos não pareciam mais tão desconcertantes e complexos, tornavam-se, pelo contrário, bastante previsíveis.

## Laços evolucionários

A teoria do apego baseia-se na premissa de que a necessidade de estar em um relacionamento íntimo encontra-se embutida em nossos genes.

Foi a genialidade de John Bowlby que o levou à conclusão de que fomos programados pela evolução para destacar alguns indivíduos específicos em nossa vida e torná-los preciosos para nós. Fomos criados para depender de alguém que consideramos importante. A necessidade começa no útero e termina quando morremos. Bowlby propôs que, durante toda a evolução, a seleção genética favoreceu aqueles que desenvolviam vínculos porque isso proporcionava uma vantagem para a sobrevivência. Em tempos pré-históricos, os indivíduos que contavam apenas com eles mesmos, sem receber proteção de ninguém, estavam mais propensos a acabar como presas. Aqueles que estavam juntos a alguém que se importava profundamente com seu bem-estar quase sempre sobreviviam para transmitir a seus descendentes a preferência por estabelecer relações íntimas.

De fato, a necessidade de estar perto de alguém especial é tão importante que o cérebro tem um mecanismo biológico responsável especificamente pela criação e regulação da nossa conexão com as figuras por quem desenvolvemos apego (pais, filhos e parceiros românticos). Esse mecanismo, chamado de *sistema de apego*, consiste em emoções e comportamentos que garantem que permaneceremos seguros e protegidos se nos mantivermos próximos daqueles a quem amamos. O mecanismo explica por que uma criança afastada da mãe fica agitada, procura-a com desespero ou chora de modo incontrolável até restabelecer contato. Essas reações são chamadas de *comportamento de protesto* e continuamos a manifestá-las na vida adulta. Na pré-história, manter-se próximo a um parceiro era questão de vida ou morte, e nosso sistema de apego se desenvolveu para tratar essa proximidade como uma necessidade absoluta.

Imagine que você tenha ouvido notícias sobre um desastre de avião no oceano Atlântico na noite em que seu parceiro está voando de Nova York para Londres. Aquela sensação de peso no estômago e a histeria que a acompanha seriam manifestações do seu sistema de apego. Seus telefonemas frenéticos para o aeroporto seriam o comportamento de protesto.

Um aspecto extremamente importante da evolução é a heterogeneidade. O ser humano é uma espécie muito heterogênea, variando enormemente em aparência, atitudes e comportamentos. Isso explica em grande parte a nossa abundância e a capacidade de nos encaixarmos em quase todos os nichos ecológicos da Terra. Se fôssemos todos idênticos, qualquer desafio ambiental específico teria o potencial de nos aniquilar. Nossa variabilidade aumenta as chances de que um segmento da população seja singular, sob algum aspecto, e tenha condições de sobreviver em uma situação em que outros pereceriam. O estilo de apego não se diferencia de outras características humanas. Embora todos nós tenhamos uma necessidade básica de formar vínculos próximos, há variações *no modo* como os criamos. Em um ambiente muito perigoso, não seria muito vantajoso investir tempo e energia em apenas um indivíduo, pois essa pessoa provavelmente não ficaria ali por muito tempo. Faria mais sentido se apegar menos e não formar vínculos fortes (daí vem o estilo de apego evitativo). Outra opção em um ambiente hostil é agir da maneira oposta e ser intensamente persistente e hipervigilante para ficar próximo ao objeto do apego (daí vem o estilo de apego ansioso). Já em um cenário mais pacífico, os vínculos íntimos formados ao fazer grandes investimentos em um indivíduo específico propiciariam mais benefícios para a pessoa e para seus descendentes (daí vem o estilo de apego seguro).

É verdade que na sociedade moderna não somos mais caçados por predadores (como acontecia com nossos ancestrais), mas, em termos evolucionários, estamos a apenas uma fração de segundo de distância do modo como tudo funcionava no passado. Nosso cérebro emocional nos foi legado por *Homo sapiens* que viviam em uma era completamente diferente – e foi para lidar com o estilo de vida e com os perigos que havia à espreita deles que nossas emoções foram desenvolvidas. Nossos sentimentos e comportamentos quando nos relacionamos nos dias de hoje não são muito diferentes daqueles de nossos mais antigos ancestrais.

## Comportamento de protesto na era digital

Munidos de novas percepções sobre as implicações dos estilos de apego na vida cotidiana, começamos a perceber as ações das pessoas de uma forma bem diferente. Comportamentos que atribuíamos às características da personalidade de alguém ou que antes havíamos rotulado de exagerados passaram a ser compreendidos com clareza e precisão pelas lentes da teoria do apego. Nossas descobertas lançaram novas luzes sobre a dificuldade que Tamara sentia para romper com um namorado como Greg, que a fazia se sentir infeliz. Essa dificuldade não vinha necessariamente de uma fraqueza. Ela se originava, na verdade, de um instinto básico para manter contato a todo custo com alguém a quem se apegara e era bastante amplificada por um estilo ansioso.

Para Tamara, a necessidade de ficar com Greg era deflagrada pelo mais leve sentimento de perigo – o perigo de que seu amado estivesse fora de alcance, incapaz de lhe responder ou com problemas. Afastar-se nessas situações seria uma insanidade, em termos evolucionários. O emprego do comportamento de protesto, como telefonar diversas vezes ou provocar ciúme, fazia todo o sentido quando visto sob esse ângulo.

O que nos agradou muitíssimo na teoria do apego foi o fato de ela ter sido formulada com base na população como um todo. Diferentemente de muitos quadros psicológicos de referência, criados com base em casais que procuram terapia, esta teoria tirava suas lições de todo mundo – de pessoas com relacionamentos felizes e de pessoas com relacionamentos infelizes; de quem nunca procurou tratamento e de quem sempre buscou ajuda. Ela nos permitia compreender não apenas o que dá errado, mas também o que dá certo. Permitia que encontrássemos e avaliássemos um grande grupo de pessoas que até então mal merecia menção na maioria dos livros sobre relacionamentos. E mais, a teoria não rotula comportamentos como saudáveis ou não saudáveis. Nenhum dos estilos de apego em si é considerado "patológico". Pelo contrário, comportamentos românticos que previamente eram considerados estranhos ou equivocados agora pareciam compreensíveis, previsíveis e até esperados. Você fica com alguém embora essa pessoa não tenha certeza de corresponder a seu amor? Compreensível. Você diz que quer partir, muda de ideia minutos depois e decide que quer, desesperadamente, ficar? Também é compreensível.

No entanto, esse tipo de comportamento seria eficiente ou valeria a pena? Aí já é outra história. As pessoas com estilo de apego seguro sabem comunicar suas expectativas e reagir com eficiência às necessidades dos parceiros *sem recorrer* ao comportamento de protesto. Para o restante de nós, a compreensão é apenas o princípio.

## Da teoria à prática – desenvolvendo intervenções específicas baseadas no apego

A partir da compreensão de que o grau de necessidade de intimidade e de proximidade varia bastante de pessoa para pessoa – e que essas diferenças criam conflitos –, as descobertas sobre o apego nos ofereceram um novo modo de observar relacionamentos românticos. A pesquisa facilitava uma melhor *compreensão* das ligações amorosas, mas indagávamos como poderíamos transformar esse conhecimento em ferramentas que de fato fizessem diferença no campo dos relacionamentos. A teoria oferecia a promessa de aprimorar os vínculos íntimos, mas os achados do estudo ainda não tinham sido traduzidos em um guia acessível para que as pessoas pudessem aplicar à própria vida. Acreditando ter encontrado uma chave para orientar as pessoas rumo a relacionamentos melhores, partimos para descobrir tudo o que podíamos sobre os três estilos de apego e as formas com que eles interagem em situações do dia a dia.

Começamos a fazer entrevistas com indivíduos com os mais diferentes padrões de vida. Entrevistamos colegas e pacientes, bem como leigos de diferentes idades e formações. Registramos por escrito histórias de relacionamentos e de experiências românticas que compartilharam conosco. Conduzimos observações de casais. Avaliamos seus estilos de apego por meio da análise de seus comentários, atitudes e comportamentos e, em determinadas ocasiões, oferecemos intervenções específicas baseadas no apego. Desenvolvemos uma técnica que permitia que as pessoas determinassem – em um tempo relativamente curto – o estilo de apego de alguém. Ensinamos como poderiam empregar seus instintos em vez de combatê-los, não apenas para escapar de relacionamentos sem solução, mas também para descortinar as "pérolas" ocultas que mereciam ser cultivadas – e funcionou!

Descobrimos que, diferentemente de outras intervenções que se concentram em solteiros ou em casais já existentes, a teoria do apego adulto é uma teoria abrangente para as afinidades românticas, o que permite o desenvolvimento de aplicações úteis para pessoas em *todos* os estágios da vida amorosa. Existem aplicações específicas para quem está começando a namorar, para quem está nos primeiros estágios de um relacionamento, para quem mantém ligações duradouras, para quem passa por um rompimento ou para quem vive o luto da perda de um ente amado. O ponto em comum é que a teoria do apego pode ser aplicada de forma poderosa em todas essas situações e ajudar na orientação das pessoas durante todas as etapas da vida, permitindo relacionamentos melhores.

## Partindo para a ação

Depois de algum tempo, o jargão relacionado ao apego se tornou natural para aqueles que conviviam conosco. Nós os ouvíamos durante a terapia ou no jantar, dizendo: "Não posso sair com ele. Está claro que é do tipo evitativo." Ou: "Você me conhece. Sou ansiosa. Um caso rápido é a última coisa de que preciso." E pensar que até recentemente ninguém sequer tinha consciência de que existiam três estilos diferentes de apego!

Tamara, é claro, aprendeu tudo que havia sobre a teoria do apego e sobre as novas descobertas que acabáramos de fazer – ela puxava o assunto em quase todas as nossas conversas. Tinha enfim reunido forças para romper seus frágeis laços com Greg. Pouco depois, voltou a sair com outros homens. Munida de seus conhecimentos recém-adquiridos, Tamara foi capaz de driblar com elegância possíveis pretendentes com estilo evitativo, que ela agora sabia não ser o mais adequado para ela. Homens que, no passado, lhe fariam passar dias em verdadeira agonia – analisando o que pensavam, se ligariam ou se tinham intenções sérias – foram dispensados sem qualquer esforço. Agora os pensamentos de Tamara se concentravam em avaliar se seus novos pretendentes tinham a capacidade de ser íntimos e de amar da forma como ela queria ser amada.

Depois de algum tempo, Tamara conheceu Tom, um homem nitidamente seguro, e o relacionamento deles se desenvolveu de forma tão harmoniosa que ela mal falava no assunto. Não que ela não quisesse compartilhar detalhes de sua história com a gente. Ela simplesmente tinha encontrado uma base segura e não havia crises ou dramas para discutir. A maior parte de nossas conversas girava em torno das coisas divertidas que os dois faziam, seus planos para o futuro ou para a carreira dela, que voltava a progredir.

## Avançando

Este livro é o resultado da nossa tradução das pesquisas sobre o apego para a aplicação prática. Esperamos que você, como tantos de nossos amigos, colegas e pacientes, o utilize para tomar decisões melhores sobre sua vida pessoal. Nos capítulos seguintes, você descobrirá mais sobre cada um dos três estilos de apego e as formas como eles determinam seu comportamento e suas atitudes nos relacionamentos amorosos. Fracassos do passado serão vistos sob uma nova perspectiva, e suas motivações – bem como as motivações dos outros – se tornarão mais claras. Você descobrirá quais são suas necessidades e com quem deve ficar para ser feliz. Se já mantém um relacionamento com um parceiro cujo estilo de apego conflita com o seu, você entenderá melhor por que os dois pensam e agem de determinada forma, aprendendo estratégias para aumentar seu nível de satisfação. Seja qual for a situação, você começará a experimentar diversas mudanças – para muito melhor.

## 2

## *Dependência não é palavrão*

Há alguns anos, um reality show apresentava casais que competiam entre si em uma corrida mundo afora e tinham que realizar tarefas desafiadoras. Karen e Tim formavam o casal dos sonhos no programa: bonitos, sensuais, inteligentes e bem-sucedidos. Diante dos diversos desafios que enfrentavam, emergiam detalhes íntimos sobre o relacionamento: Karen queria se casar, mas Tim relutava. Ele valorizava sua independência e ela desejava se aproximar mais. Em alguns momentos de muita tensão durante a corrida, e com frequência depois de uma discussão, Karen precisava que Tim segurasse sua mão. Tim hesitava. Parecia proximidade excessiva e, além disso, ele não queria sucumbir a todos os caprichos da parceira.

No último episódio do programa, Tim e Karen lideravam a corrida. Quase ganharam o grande prêmio em dinheiro, mas, na linha de chegada, os dois foram derrotados. Quando foram entrevistados no fim da temporada, perguntaram-lhes se fariam algo diferente. Karen disse: "Acho que perdemos porque eu estava carente demais. Olhando para trás, percebo que meu comportamento era um pouco excessivo. Houve muitas vezes em que precisei que Tim segurasse minha mão durante a corrida. Não sei por que era tão importante para mim. Mas aprendi uma lição e decidi que não preciso mais ser assim. Por que sentia tanta vontade de segurar a mão dele? Foi uma tolice. Eu devia ter mantido a calma sem depender desse gesto dele." Tim, por sua vez, disse muito pouco: "A corrida não lembra em nada a vida real. Foi a experiência mais intensa por que passei. Durante o percurso, nem tínhamos tempo para nos zangar um com o outro. Apenas corríamos de uma tarefa para a seguinte."

Tanto Karen quanto Tim deixaram de mencionar um fato importante: Tim teve medo de participar de um desafio de bungee jump e quase abandonou a competição. Apesar de encorajado por Karen, que procurava tranquilizá-lo dizendo que pularia com ele, Tim simplesmente não conseguia. Chegou a um ponto em que ele tirou todo o equipamento e começou a se afastar. Finalmente, ele reuniu a coragem necessária para encarar o desafio. Por causa dessa hesitação específica, os dois perderam a liderança.

A teoria do apego adulto nos ensina que o pressuposto básico de Karen – de que ela precisa e deve controlar suas necessidades emocionais e se reconfortar sozinha em situações de tensão – está simplesmente errado. Ela presumia que o problema era ser carente demais, mas resultados de pesquisa indicam exatamente o oposto. Apegar-se significa programar nosso cérebro para procurar apoio no parceiro garantindo sua proximidade física e psicológica. Se nosso parceiro falha em nos reconfortar, somos programados para seguir com as tentativas de obter proximidade até que ele ceda. Se Karen e Tim compreendessem isso, ela não sentiria vergonha por precisar segurar a mão do companheiro durante a tensão de uma corrida transmitida em rede nacional. De sua parte, Tim teria sabido que o gesto simples de segurar na mão de Karen poderia dar a eles justamente o que precisavam para vencer. De fato, se ele soubesse que, ao corresponder à necessidade dela de início, teria que dedicar menos tempo a "apagar incêndios" provocados por sua aflição acumulada, talvez tivesse segurado a mão da parceira ao primeiro sinal de ansiedade, em vez de esperar seus pedidos. E mais: se Tim fosse capaz de aceitar o apoio de Karen com mais prontidão, ele provavelmente teria dado aquele salto de bungee jump mais depressa.

Os princípios do apego nos ensinam que a carência da maioria das pessoas é tão grande quanto suas necessidades não atendidas. Quando suas necessidades emocionais são resolvidas – e quanto antes, melhor –, as pessoas em geral voltam as atenções para fora. Isto costuma aparecer na literatura sobre o apego sob o termo "paradoxo da dependência": quanto mais efetivamente dependentes as pessoas são umas das outras, mais independentes e audaciosas elas se tornam. Karen e Tim ignoravam como usar seu elo emocional como um ponto forte na corrida.

## Já avançamos muito (mas ainda não chegamos lá)

A opinião depreciativa de Karen, que se considerava carente demais, e a falta de percepção de Tim em relação a seu papel no apego não são surpreendentes nem são realmente culpa deles. Afinal de contas, vivemos em uma cultura que parece menosprezar as necessidades básicas de intimidade, proximidade e especialmente de dependência enquanto exalta a independência. Tendemos a aceitar essa atitude como uma verdade absoluta – para nosso próprio prejuízo.

Não é novidade a crença errônea de que todos deveriam ser autossuficientes do ponto de vista emocional. Não faz muito tempo que, na sociedade ocidental, acreditava-se que as crianças ficariam mais felizes se usassem seus próprios recursos e aprendessem a se acalmar sozinhas. Veio então a teoria do apego e virou essas crenças de cabeça para baixo – pelo menos no que dizia respeito aos pequenos. Nos anos 1940, os especialistas alertavam que o excesso de colo resultaria em crianças carentes e inseguras que se tornariam adultos pouco saudáveis e desajustados. Os pais eram instruídos a não dar atenção demais aos filhos pequenos, permitindo que chorassem durante horas, para treiná-los a comer em um horário rígido. Nos hospitais, as crianças eram isoladas dos pais e só podiam ser vistas por trás de uma parede de vidro. Assistentes sociais retiravam as crianças de seus lares, colocando-as em residências provisórias diante do menor sinal de problema.

Existia uma crença disseminada de que pais e filhos deviam manter uma distância adequada, de que as manifestações físicas de afeto deviam ser dispensadas com cuidado. Em *Psychological Care of Infant and Child* (Cuidados psicológicos do bebê e da criança), popular manual de educação dos filhos na década de 1920, John Broadus Watson alertava para os perigos do "excesso de amor materno" e dedicava o livro "*à mãe que criar uma criança feliz*". Essa criança seria uma criatura autônoma, corajosa, autossuficiente, adaptável, capaz de resolver problemas, alguém que não chora a não ser quando se machuca fisicamente, alguém que se concentra nas tarefas e nas brincadeiras e que não mantém grande apego a nenhum lugar ou pessoa.

Antes da obra revolucionária de Mary Ainsworth e John Bowlby, nos anos 1950 e 1960, os psicólogos não apreciavam a importância do vínculo entre pais e filhos. O apego de uma criança à mãe era visto como uma consequência de a mãe fornecer alimento e sustento ao filho. A criança aprendia a associar a mãe à nutrição e, como resultado, procurava permanecer próxima a ela. Bowlby, no entanto, observou que bebês que tinham todas as necessidades nutricionais supridas mas não dispunham de alguém com quem manter um vínculo (como aqueles criados em instituições ou desalojados durante a Segunda Guerra Mundial) não conseguiam se desenvolver normalmente. Seu desenvolvimento físico, intelectual e social era comprometido. Os estudos de Ainsworth e Bowlby deixavam claro que a ligação entre criança e cuidador era tão essencial para sua sobrevivência quanto a água e o alimento.

## Não só as crianças têm necessidades de apego

Bowlby sempre alegou que o apego é parte integral do comportamento humano durante *toda* a sua existência. Em seguida, Mary Main descobriu que os adultos também podiam ser divididos em categorias de apego de acordo com o modo como se lembram de seu primeiro relacionamento com seus cuidadores, o que, por sua vez, influencia seu comportamento parental. Sem conexão direta com o trabalho de Mary

Main, Cindy Hazan e Phillip Shaver descobriram que os adultos também têm diferentes estilos de apego em situações românticas. Fizeram essa descoberta ao publicar um "teste do amor" no jornal *Rocky Mountain News*, pedindo a voluntários que assinalassem uma afirmação entre três como sendo aquela que descrevia mais precisamente seus sentimentos e suas atitudes nos relacionamentos. As três afirmações correspondiam aos três estilos de apego e eram as reproduzidas a seguir:

- Acho relativamente fácil me aproximar dos outros e sinto-me confortável em depender deles e deixar que dependam de mim. Não costumo me preocupar com frequência em ser abandonado(a) ou com o fato de alguém estar se aproximando demais de mim. (Padrão do estilo de apego seguro.)
- Sinto-me pouco à vontade ao me aproximar dos outros. Acho difícil confiar plenamente e também me permitir ser dependente deles. Fico nervoso(a) quando qualquer um se aproxima demais de mim e, com frequência, meu par amoroso deseja que eu proporcione mais intimidade do que julgo ser confortável. (Padrão do estilo de apego evitativo.)
- Acho que os outros relutam em se aproximar tanto quanto eu gostaria. Costumo me preocupar, pensando se a pessoa realmente me ama, se quer mesmo ficar comigo. Desejo me fundir completamente com o outro e esse desejo às vezes afasta as pessoas. (Padrão do estilo de apego ansioso.)

É importante ressaltar que os resultados demonstraram uma distribuição dos estilos de apego em adultos semelhante àquela encontrada em crianças pequenas. Neste caso, a maioria dos que responderam ao teste correspondia à categoria "seguro" e os demais se dividiram entre "ansioso" e "evitativo". Os pesquisadores descobriram ainda que cada estilo correspondia a crenças e atitudes muito particulares sobre si, sobre os parceiros, os relacionamentos e a intimidade em geral.

Estudos posteriores realizados por Hazan, Shaver e outros corroboraram essas descobertas. Aparentemente, como sugerido por Bowlby, o apego segue ocupando papel de destaque ao longo de todas as fases da vida. A diferença é que os adultos são capazes de um maior nível de abstração e por isso nossa necessidade da presença física contínua do outro pode ser, às vezes, temporariamente substituída pela consciência de que essas pessoas estão disponíveis para nós do ponto de vista psicológico e emocional. Mas o essencial é que a necessidade de conexão íntima e a garantia da disponibilidade do nosso parceiro continuam a desempenhar um papel importante ao longo de toda a nossa existência.

Infelizmente, assim como a importância do vínculo entre pais e filhos foi desconsiderada no passado, hoje em dia o significado do apego adulto não é devidamente valorizado. Entre os adultos ainda prevalece a noção de que dependência demais em um relacionamento é algo ruim.

## O mito da codependência

O movimento de codependência e outras abordagens muito populares na autoajuda retratam os relacionamentos de um modo que lembra as visões mantidas na primeira metade do século XX em relação ao vínculo entre pais e filhos (lembra-se da "criança feliz", livre de apegos desnecessários?). Os especialistas da atualidade oferecem conselhos que dizem mais ou menos assim: sua felicidade é algo que deve vir de dentro e que não deve depender da pessoa com a qual você tem um relacionamento amoroso. Seu bem-estar não é responsabilidade dos outros e o bem-estar deles não é sua responsabilidade. Cada um precisa cuidar de si mesmo. Além disso, você também deve aprender a não permitir que sua paz interior seja perturbada pela pessoa mais próxima. Se seu(sua) parceiro(a) age de um modo que solapa sua sensação de segurança, você deve ser capaz de se distanciar emocionalmente da situação, "manter o foco em si mesmo" e seguir em um curso equilibrado. Se não conseguir, talvez haja algo de errado com você. Talvez você tenha se envolvido demais com o outro, ou seja "dependente", e precise aprender a estabelecer "limites" com mais eficiência.

A premissa básica que sustenta esse ponto de vista é a de que o relacionamento ideal é aquele entre duas pessoas autossuficientes que se unem de modo maduro e respeitoso ao mesmo tempo que mantêm limites claros. Se você desenvolve uma forte relação de dependência com seu(sua) parceiro(a), é provável que tenha algum tipo de deficiência e é aconselhado a trabalhar para se tornar mais "independente" e para desenvolver "mais consciência de si". A pior situação possível é aquela em que você acaba *precisando* do outro, o que é o mesmo que estar "viciada(o)" nele(a), e vício, como todos nós sabemos, é algo muito perigoso.

Embora os ensinamentos do movimento de codependência continuem a ser imensamente úteis ao lidar com familiares que sofrem as consequências do abuso de drogas ou de álcool (como era a intenção inicial), eles podem ser equivocados e até mesmo prejudiciais quando aplicados de forma indiscriminada a todos os relacionamentos. Karen, que conhecemos na corrida transmitida pela televisão, foi influenciada por essas linhas de pensamento. Mas a biologia conta uma história bem diferente.

## A verdade biológica

Numerosos estudos mostram que assim que nos apegamos a alguém, o casal passa a formar uma unidade psicológica. Nosso parceiro regula nossa pressão sanguínea, os batimentos cardíacos, o ritmo da respiração e os níveis de hormônio no sangue. Não somos mais entidades separadas. A ênfase na diferenciação, mantida na atualidade pela maioria das populares abordagens da psicologia que tratam dos relacionamentos adultos, não se sustenta sob a perspectiva biológica. A dependência é um fato. Não é uma opção nem uma preferência.

Um estudo conduzido por James Coan, diretor do Laboratório de Neurociência Afetiva da Universidade da Virginia, é particularmente esclarecedor sobre esse aspecto. Ele investiga os mecanismos pelos quais os relacionamentos sociais próximos e os círculos sociais mais amplos regulam nossas reações emocionais. Nesse estudo em particular, conduzido em colaboração com Richard Davidson e Hillary Schaefer, ele usou a tecnologia funcional de imagem por ressonância magnética para examinar o cérebro de mulheres casadas. Enquanto essas mulheres eram monitoradas, o Dr. Coan e seus colegas simulavam uma situação estressante, dizendo a elas que estavam prestes a receber um choque elétrico muito suave.

Normalmente, sob condições estressantes o hipotálamo é ativado. E foi de fato o que aconteceu no experimento com as mulheres enquanto estavam sozinhas esperando pelo choque – o hipotálamo foi ativado. Em seguida, testaram mulheres que seguravam a mão de um desconhecido enquanto esperavam. Dessa vez, os exames apresentaram uma atividade do hipotálamo um tanto reduzida. E o que aconteceu quando essas mulheres seguraram a mão do marido? A redução foi bem mais acentuada – o estresse quase não podia ser detectado. E mais: as mulheres que mais se beneficiaram do aperto de mão do marido foram aquelas que relataram maior satisfação conjugal – mas voltaremos a esse assunto em breve.

O estudo mostra que, quando duas pessoas estabelecem um relacionamento íntimo, elas regulam mutuamente seu bem-estar psicológico e emocional. A proximidade física e a disponibilidade influenciam a resposta ao estresse, que, como demonstra a pesquisa, se manifesta no hipotálamo. Como é possível esperar que mantenhamos um nível tão elevado de diferenciação entre nós e nosso parceiro se a nossa biologia básica é influenciada por ele a esse ponto?

Ao que parece, Karen, de quem falamos antes, compreendia instintivamente o efeito curativo que havia em segurar a mão de seu parceiro sob condições estressantes. Infelizmente, ela cedeu depois a concepções equivocadas e considerou seu instinto como sinal de fraqueza, algo do qual devia se envergonhar.

## O "paradoxo da dependência"

Muito antes da tecnologia de imagens do cérebro ser desenvolvida, John Bowlby compreendia que a necessidade de dividir nossa vida com alguém é parte de nossa composição genética e não tem qualquer relação com quanto amamos a nós mesmos ou com quanto nos sentimos realizados como indivíduos. Ele descobriu que, assim que escolhemos alguém especial, forças poderosas e muitas vezes incontroláveis entram em jogo. Novos padrões de comportamento começam a funcionar, *pouco importando* nosso nível de independência, *apesar* de nossas vontades conscientes. Assim que escolhemos alguém para nos relacionar, não está mais em discussão se existe ou não uma dependência. *Ela sempre existe.* Uma coexistência elegante que não inclua sentimentos desconfortáveis de vulnerabilidade nem o medo da perda parece ótimo, mas não está na nossa biologia. A fórmula que demonstrou ser uma forte vantagem para a sobrevivência durante a evolução é a do casal humano que se transforma em uma unidade psicológica, o que significa que, se ela reage, eu reajo; se ele está transtornado, isso também me perturba. O outro faz parte de mim, o que significa que eu faria qualquer coisa para salvá-lo. Tamanho interesse no bem-estar de outra pessoa traduz-se como uma importantíssima vantagem para a sobrevivência das duas partes envolvidas.

Apesar das variações no modo como pessoas com diferentes estilos de apego aprendem a lidar com essas forças poderosas – os tipos seguro e ansioso as acolhem e o evitativo tende a afastá-las –, os três são programados para se ligar a alguém especial. De fato, o capítulo 6 descreve uma série de experimentos que demonstram que os evitativos têm necessidade de apego, mas trabalham ativamente para suprimi-la.

※※※

Isso significa que para sermos felizes em um relacionamento precisamos ficar grudados ao parceiro ou desistir de outros aspectos da vida, como carreira e amigos? Por mais paradoxal que pareça, a verdade é justamente o oposto! O fato é que a nossa capacidade de explorar o mundo por conta própria em geral deriva da consciência de que há alguém com quem podemos contar ao nosso lado – e é esse o "paradoxo da dependência". A lógica desse paradoxo é difícil de compreender a princípio. Como podemos agir com mais independência sendo inteiramente dependentes de outra pessoa? Se tivéssemos que descrever a premissa básica do apego adulto em uma única frase, ela seria: se quiser seguir o caminho da independência e da felicidade, encontre primeiro a pessoa certa, da qual possa depender, e pegue a estrada com ela. Assim que compreender isso, você terá captado a essência da teoria do apego. Para ilustrar esse princípio, examinemos mais uma vez a infância, período em que o apego se inicia. Embora os estilos de apego adulto e infantil não sejam exatamente iguais, nada demonstra com mais clareza a ideia que procuramos transmitir do que aquilo que os especialistas da área chamam de "teste da situação estranha".

## O teste da situação estranha

Sarah e Kimmy, sua filha de 1 ano, entram em um quarto cheio de brinquedos. Um jovem assistente de pesquisa, muito simpático, aguarda as duas e troca algumas palavras com elas. Kimmy se põe a explorar aquele recém-encontrado paraíso – começa a engatinhar, pega brinquedos, joga-os no chão e verifica se eles chacoalham, rolam ou se acendem. Ela olha para a mãe de vez em quando.

A mãe de Kim é então instruída a deixar o cômodo. Levanta-se e sai em silêncio. Assim que percebe o que aconteceu, a menina fica incomodada. Engatinha até a porta o mais depressa que consegue, aos prantos. Chama pela mãe e bate na porta. O assistente de pesquisa tenta desviar a atenção de Kimmy para uma caixa cheia de blocos coloridos de montar mas só consegue deixá-la mais agitada. Ela joga um dos blocos na cara do assistente.

Quando a mãe retorna ao cômodo depois de um curto intervalo, Kimmy engatinha até ela a toda a velocidade e ergue os braços pedindo colo. As duas se abraçam e Sarah, com calma, reconforta a filha. Kimmy agarra a mãe com força e para de soluçar. Assim que se tranquiliza, o interesse da menina pelos brinquedos volta a despertar e ela retoma a brincadeira.

Sarah e Kimmy fizeram parte de um experimento que é provavelmente o estudo mais importante na área da teoria do apego – mencionado como o *teste da situação estranha* (o que descrevemos aqui é uma versão abreviada). Mary Ainsworth ficou fascinada pelo modo como o impulso exploratório das crianças – sua capacidade de brincar e de aprender – podia ser despertado ou sufocado pela presença ou ausência da mãe.

Ela descobriu que ter uma figura de apego no cômodo bastava para permitir que a criança explorasse com confiança um ambiente até então desconhecido. Essa presença é conhecida como *base segura*. Trata-se do conhecimento de que existe o apoio de alguém que o encoraja, em quem se pode confiar 100% e a quem se pode recorrer nos momentos de necessidade. Uma base segura é um pré-requisito para que uma criança tenha capacidade de explorar, se desenvolver e aprender.

## Uma base segura para adultos

Na idade adulta, não nos entretemos mais com brinquedos, mas precisamos enfrentar o mundo e lidar com situações novas e desafiadoras. Queremos ser eficientes no trabalho, tranquilos e inspirados em nossos hobbies e compassivos com nossos filhos e parceiros. Se nos sentimos seguros, como a criança no teste da situação estranha na presença da mãe, o mundo está a nossos pés. Podemos correr riscos, ser criativos e perseguir nossos sonhos. E se nos falta essa sensação de segurança? Teremos dificuldade em manter o foco e nos envolvermos nas questões da vida sempre que não tivermos certeza de que a pessoa mais próxima de nós – nosso parceiro romântico – realmente nos dá apoio e confiança; o mesmo ocorre se não sabemos se podemos contar com o nosso companheiro em caso de necessidade. Como acontece no teste da situação estranha, quando nosso parceiro é inteiramente confiável e nos dá segurança, especialmente se souber nos reconfortar nos momentos de dificuldade, nós podemos voltar nossa atenção para outros aspectos da vida que tornam significativa a nossa existência.

Brooke Feeney, diretora do Laboratório de Relacionamentos da Universidade Carnegie Mellon, ilustra como uma base segura funciona nos relacionamentos adultos. A Dra. Feeney se interessa em particular pelo estudo do modo como os casais dão e recebem apoio e os fatores que determinam a qualidade desse apoio. Em um de seus estudos, a pesquisadora pediu aos casais que conversassem entre si, em um laboratório, sobre seus objetivos pessoais e suas oportunidades. Quando sentiam que seus objetivos recebiam apoio do parceiro, os participantes relatavam um aumento na autoestima e um ânimo renovado depois da conversa. Também julgavam que a possibilidade de cumprirem aquelas metas eram maiores do que antes de conversarem com seu par. Os participantes que sentiam que o companheiro era mais intrusivo e/ou menos acolhedor, por outro lado, estavam menos propensos a conversar sobre seus objetivos, não examinavam com confiança os caminhos para atingi-los e tendiam a rebaixar suas metas durante o curso da conversa.

Voltemos para Karen e Tim, o casal do reality show: de muitas formas, a experiência dos dois se parece com um equivalente adulto para o teste da situação estranha feito com crianças. Do mesmo modo que Karen precisava da mão de Tim para se sentir encorajada e que Tim encontrava forças em Karen, Kimmy queria a presença da mãe. Karen recorreu ao comportamento de protesto (não concordando em continuar até que Tim segurasse sua mão), assim como Kimmy fizera ao chamar pela mãe ausente. As duas necessitavam do conforto proporcionado por suas figuras de apego antes de conseguirem se concentrar em outras tarefas. Só conseguiam voltar para outras atividades quando a base segura era restaurada.

## Encontrar a pessoa certa para estabelecer um vínculo de dependência

A questão é: o que acontece quando a pessoa em quem mais confiamos – de quem, na verdade, dependemos do ponto de vista físico e emocional – não corresponde a seu papel como figura de apego? Afinal de contas, nosso cérebro atribui ao nosso parceiro a tarefa de ser nossa base segura, uma âncora emocional e porto seguro para quem nos voltamos nos momentos de necessidade. Somos programados para buscar a disponibilidade emocional do outro. Mas o que acontece quando o outro está constantemente indisponível? No experimento de imagens de Coan, vimos que o contato físico com um cônjuge pode ajudar a reduzir a ansiedade em uma situação tensa e também aprendemos que pessoas que relatavam níveis mais altos de satisfação no relacionamento foram as mais beneficiadas pelo apoio do parceiro. Outros experimentos produziram resultados de alcance ainda maior. Brian Baker, psiquiatra e pesquisador da Universidade de Toronto, estuda os aspectos psiquiátricos da doença cardíaca e, em particular, o modo como a desarmonia matrimonial e as demandas do trabalho afetam a pressão sanguínea. Em um desses estudos, o Dr. Baker descobriu que, caso você tenha uma forma branda de hipertensão arterial, ter um casamento satisfatório é bom para você. Passar tempo na presença do cônjuge, na realidade, é benéfico, baixando sua pressão sanguínea para níveis mais saudáveis. Por outro lado, quando não se está satisfeito com o seu casamento, o contato com o outro elevará a pressão sanguínea, que se manterá elevada enquanto estiverem fisicamente próximos! Esse estudo tem implicações profundas: quando a pessoa com quem nos relacionamos é incapaz de suprir nossas necessidades básicas de apego, experimentamos uma sensação crônica de intranquilidade e uma tensão que nos deixa mais expostos a diversas enfermidades. O bem-estar emocional não é o único sacrificado quando estamos em um relacionamento romântico com alguém que não é capaz de fornecer uma base segura. Coloca-se em risco também a nossa saúde física.

Parece então que nosso parceiro afeta de forma poderosa nossa capacidade de prosperar no mundo. Não há como contornar este fato. O outro influencia não apenas o modo como nos *sentimos* em relação a nós mesmos, mas também nosso grau de *autoconfiança*; impacta, ainda, nossa determinação de tentar ou não realizar nossos sonhos e esperanças. Ter alguém que preenche as necessidades intrínsecas de apego e que se sente à vontade no papel de base segura e abrigo tranquilo pode nos ajudar a permanecer mais saudáveis do ponto de vista emocional e psicológico, e a viver mais tempo. Ter um parceiro com uma disponibilidade ou apoio inconsistente pode ser uma experiência desmoralizante e debilitante capaz de, literalmente, tolher nosso crescimento e minar nossa saúde.

Este livro trata de como encontrar um parceiro que seja para você uma base segura, como se tornar esse tipo de parceiro e como ajudar seu par atual a assumir um papel que pode transformar a vida dos dois.

## Para usar este livro

Como este guia pode orientar você na busca por amor nos lugares certos e no aprimoramento dos relacionamentos existentes?

Primeiramente, convidamos você a "arregaçar as mangas", não perder tempo e descobrir seu próprio estilo de apego. Assim, vai aprender a identificar seu "DNA" singular para os relacionamentos. Em seguida, você aprenderá a perceber os estilos de apego daqueles à sua volta. São capítulos essenciais, os primeiros passos para compreender *suas* necessidades específicas em uma relação e saber quem será capaz (ou incapaz) de provê-las. Vamos seguir juntos passo a passo durante esse processo e depois lhe daremos uma chance de praticar suas novas habilidades.

A seguir abordamos em maior profundidade cada um dos estilos de apego. Você começará a ter uma compreensão maior do funcionamento interno de cada um deles. Talvez vivencie esses capítulos como uma verdadeira revelação, pois eles permitirão que você veja sob um novo ângulo suas próprias experiências românticas, assim como a de pessoas próximas.

A parte 3 vem com um grande sinal de alerta. Você descobrirá o preço emocional que se paga ao se vincular a alguém com necessidades de intimidade drasticamente diferentes das suas. Descrevemos os problemas específicos da armadilha ansioso-evitativo e mostraremos o custo de permanecer nesse tipo de relacionamento. Se você já estabeleceu esse tipo de vínculo e quer que ele dê certo, esta parte também ajudará durante o processo. Ao desvendar as necessidades específicas e as vulnerabilidades de cada estilo de apego (o seu e o do seu par romântico) e seguir as dicas e intervenções específicas feitas sob medida para a conexão ansioso-evitativo, você se tornará capaz de levar o relacionamento para uma zona mais segura. Caso decida romper, examinamos as armadilhas que poderá encontrar pela frente e que podem fazer você mudar de ideia. Oferecemos também alguns conselhos úteis para sobreviver à dor de um rompimento.

Por fim, examinamos o modo de pensar daqueles com um estilo de apego seguro. Revelamos um método para que você consiga transmitir com eficiência sua mensagem à pessoa com quem está se relacionando. Essa habilidade não apenas comunicará suas necessidades com clareza, de um lugar de força e de dignidade, mas também fornecerá informações valiosas sobre quem está ao seu lado. Vamos também explorar as cinco estratégias utilizadas por pessoas com um estilo de apego seguro para resolver conflitos e oferecer exercícios práticos para que você possa treinar essas técnicas. Assim, você saberá como agir da próxima vez que deparar com tais conflitos. Esses capítulos são verdadeiros salva-vidas para aqueles que têm um estilo de apego ansioso ou evitativo, pois ensinam como manter um relacionamento saudável e pleno. Mesmo se tiver um estilo seguro, você aprenderá alguns novos truques capazes de aumentar seu nível de satisfação geral nos relacionamentos. Essas habilidades universais ajudam as pessoas seguras a navegar no mundo à sua volta com mais tranquilidade.

Esperamos que conhecer a força poderosa do apego em seus relacionamentos e as maneiras de dominá-la faça uma diferença tão significativa na sua vida quanto fez na nossa.

## Parte 1

# Ferramentas para lidar com relacionamentos: como decifrar os estilos de apego

3

## *Primeiro passo: qual é o meu estilo de apego?*

O primeiro passo para aplicar a teoria do apego à sua vida é se conhecer e conhecer aqueles que estão à sua volta. Neste capítulo, vamos ajudar você a determinar o estilo de apego da pessoa com quem se relaciona ou pode vir a se relacionar baseando-se em várias pistas. Mas vamos começar com a avaliação de quem você conhece melhor: você mesmo.

### QUAL É O MEU ESTILO DE APEGO?

A seguir, você encontra um questionário projetado para identificar seu estilo de apego – a forma com que você se relaciona com os outros no contexto de um relacionamento íntimo. Ele é baseado no questionário Experience in Close Relationship (ECR) [Experiência com relacionamentos próximos]. O ECR foi publicado pela primeira vez em 1998, tendo como autores Kelly Brennan, Catherine Clark e Phillip Shaver, o mesmo Shaver que publicou o "teste do amor" original com Cindy Hazan. O ECR consistia em perguntas curtas que tinham como alvo aspectos específicos do apego adulto baseados em duas categorias principais: ansiedade e evitação. Mais tarde, Chris Fraley, da Universidade de Illinois, Niels Waller e Kelly Brennan elaboraram uma nova versão, o ECR-R, a partir do questionário original. Apresentamos uma versão modificada que consideramos ser mais facilmente aplicável à vida cotidiana.

Os estilos de apego são estáveis porém maleáveis. Conhecer o perfil do seu estilo específico ajuda você a se compreender melhor e orientar suas interações com os outros. De modo ideal, isso resultará em mais felicidade nos seus relacionamentos. (Para um questionário completo e validado sobre apego adulto [em inglês], você pode acessar o site do Dr. Chris Fraley em http://www.web-research-design.net/cgi-bin/crq/crq.pl.)

*** 

Marque um X no quadradinho referente a cada afirmação se ela for VERDADEIRA para você. (Se for falsa, não marque nada.)

|  | VERDADEIRO | | |
| --- | --- | --- | --- |
|  | A | B | C |
| A possibilidade de meu(minha) parceiro(a) deixar de me amar é uma preocupação constante. | ☐ | | |
| Acho fácil demonstrar afeto pelo(a) meu(minha) parceiro(a). | | ☐ | |
| Temo que deixem de gostar de mim se conhecerem o meu eu verdadeiro. | ☐ | | |
| Acho que me recupero depressa depois de um rompimento. É estranho como consigo simplesmente tirar alguém da cabeça. | | | ☐ |
| Quando não estou envolvido(a) em um relacionamento, a ansiedade e a sensação de incompletude tomam conta de mim. | ☐ | | |

|  | VERDADEIRO | | |
|---|:---:|:---:|:---:|
|  | A | B | C |
| Acho difícil dar apoio emocional à pessoa com quem me relaciono quando ela está se sentindo abatida. |  |  | ☐ |
| Quando o outro se afasta, tenho medo de que se interesse por alguém. | ☐ |  |  |
| Sinto-me à vontade dependendo de parceiros(as) românticos(as). |  | ☐ |  |
| A minha independência é mais importante do que os meus relacionamentos. |  |  | ☐ |
| Prefiro não compartilhar meus sentimentos mais íntimos com quem me envolvo emocionalmente. |  |  | ☐ |
| Quando demonstro como me sinto, tenho medo de que meu(minha) parceiro(a) não sinta o mesmo em relação a mim. | ☐ |  |  |
| Em geral, fico satisfeito(a) com meus relacionamentos românticos. |  | ☐ |  |
| Não sinto necessidade de fingir nos meus relacionamentos românticos. |  | ☐ |  |
| Penso um bocado em meus relacionamentos. | ☐ |  |  |
| Acho difícil depender de parceiros(as) românticos(as). |  |  | ☐ |
| Tendo a me apegar bem depressa a um(a) parceiro(a) romântico(a). | ☐ |  |  |
| Tenho pouca dificuldade de expressar minhas necessidades e desejos para meu par. |  | ☐ |  |

|  | VERDADEIRO ||| 
|  | A | B | C |
|---|---|---|---|
| Às vezes me irrito com meu(minha) parceiro(a) sem saber o motivo. | | | ☐ |
| Sou muito sensível aos humores da pessoa com quem me envolvo emocionalmente. | ☐ | | |
| Acredito que a maioria das pessoas é essencialmente sincera e confiável. | | ☐ | |
| Prefiro sexo casual com parceiros(as) sem compromisso a sexo com intimidade com uma única pessoa. | | | ☐ |
| Sinto-me à vontade para compartilhar meus pensamentos e sentimentos com o outro. | | ☐ | |
| Fico preocupado(a) em pensar que, se meu(minha) parceiro(a) me deixar, não encontrarei outra pessoa. | ☐ | | |
| Fico nervoso(a) quando o outro se aproxima demais. | | | ☐ |
| Durante um conflito, tendo a fazer ou dizer, por impulso, coisas das quais me arrependo mais tarde, em vez de ponderar. | ☐ | | |
| Uma discussão com meu(minha) parceiro(a) normalmente não me faz questionar todo o nosso relacionamento. | | ☐ | |
| Meus(minhas) parceiros(as) costumam desejar que eu aja com mais intimidade do que é confortável para mim. | | | ☐ |
| Fico preocupado(a) em talvez não ser suficientemente atraente. | ☐ | | |
| Às vezes me consideram chato(a) porque faço um pouco de drama nos relacionamentos. | | ☐ | |

|  | VERDADEIRO ||| 
|  | A | B | C |
|---|---|---|---|
| Sinto falta do outro quando não estamos juntos; mas, quando nos encontramos, sinto necessidade de me afastar. |  |  | ☐ |
| Quando discordo de alguém, sinto-me à vontade para exprimir minhas opiniões. |  | ☐ |  |
| Odeio a sensação de que outras pessoas dependem de mim. |  |  | ☐ |
| Se percebo que alguém por quem estou interessado(a) está olhando para outras pessoas, não deixo que isso me abale. Talvez eu sinta uma pontada de ciúme, mas é passageiro. |  | ☐ |  |
| Se percebo que alguém por quem estou interessado(a) está olhando para outras pessoas, eu me sinto aliviado(a) – isso significa que essa pessoa não está procurando exclusividade. |  |  | ☐ |
| Se percebo que alguém por quem estou interessado(a) está olhando para outras pessoas, fico triste. | ☐ |  |  |
| Se alguém com quem estou saindo começa a agir de modo frio e distante, talvez eu me pergunte o que aconteceu, mas saberei que provavelmente não tem relação comigo. |  | ☐ |  |
| Se alguém com quem estou saindo começa a agir de modo frio e distante, provavelmente vou me sentir indiferente. Talvez me sinta até mesmo aliviado(a). |  |  | ☐ |
| Se alguém com quem estou saindo começa a agir de modo frio e distante, vou ficar preocupado(a) achando que fiz algo errado. | ☐ |  |  |

|  | VERDADEIRO | | |
| --- | :---: | :---: | :---: |
|  | A | B | C |
| Se meu(minha) parceiro(a) terminasse o nosso relacionamento, eu me esforçaria ao máximo para mostrar-lhe o que está perdendo (um pouquinho de ciúme não faz mal a ninguém). | ☐ |  |  |
| Se eu estivesse saindo com alguém há muitos meses e essa pessoa me dissesse que quer parar de me ver, eu ficaria magoado(a) a princípio, mas acabaria me recuperando. |  | ☐ |  |
| Às vezes, quando consigo o que quero em um relacionamento, não tenho mais certeza do que realmente quero. |  |  | ☐ |
| Não tenho grandes problemas em manter contato com meu(minha) ex, afinal de contas, temos muito em comum. |  | ☐ |  |

\* Adaptado do Questionário ECR-R, de Fraley, Waller e Brennan (2000).

Some todos os quadradinhos assinalados na coluna A: _____.
Some todos os quadradinhos assinalados na coluna B: _____.
Some todos os quadradinhos assinalados na coluna C: _____.

*Para compreender sua pontuação*

Quanto mais afirmativas assinaladas em uma categoria, mais você demonstra as características do estilo de apego correspondente. A categoria A representa o estilo de apego *ansioso*; a categoria B, o estilo *seguro*, e a categoria C, o *evitativo*.

**Ansioso:** Você adora ficar bem perto da pessoa que ama e tem capacidade para uma grande intimidade. No entanto, costuma temer que seu(sua) parceiro(a) não queira ficar tão perto quanto você gostaria. Os relacionamentos costumam consumir grande parte de sua energia emocional. Você tende a ser muito sensível a pequenas flutuações no estado de espírito e nos gestos do(a) parceiro(a) e, embora seus sentidos costumem ser precisos, você leva excessivamente para o lado pessoal o comportamento do outro. Você experimenta muitas emoções negativas no relacionamento e fica transtornado(a) com facilidade. Em consequência, tende a agir e a dizer coisas das quais se arrepende depois. Porém, se o outro lhe proporciona muita segurança e tranquilidade, você é capaz de desvencilhar-se de muitas de suas preocupações e de se sentir satisfeito(a).

**Seguro:** Ser carinhoso(a) e amoroso(a) é algo natural para você. Você aprecia a intimidade sem se preocupar demais. Quando se trata de romance, você encara tudo muito bem e não é facilmente perturbado(a) por questões do relacionamento. Você comunica suas necessidades e seus sentimentos com facilidade e é bom em captar as pistas emocionais do outro, reagindo a elas. Você compartilha seus sucessos e problemas com o(a) parceiro(a) e consegue se manter ao lado dele(a) nos momentos de necessidade.

**Evitativo:** Para você, é de grande importância manter a independência e a autossuficiência, e você costuma preferir a autonomia a relacionamentos íntimos. Apesar de querer ficar próximo dos outros, você se sente pouco à vontade com o excesso de proximidade e tende a se manter a uma distância segura. Você não perde muito tempo se preocupando com os relacionamentos românticos ou se sentindo rejeitado(a). Tende a não se abrir para o outro, que costuma se queixar de que você se mantém distante do ponto de vista emocional. Nos relacionamentos, você costuma estar sempre alerta a qualquer sinal de controle ou de invasão do seu território.

## E SE EU *AINDA* NÃO TIVER CERTEZA?

Quando as pessoas ouvem falar em estilos de apego, não costumam ter qualquer dificuldade para reconhecer o seu. Há quem nos diga de cara: "sou ansioso" ou "com toda a certeza sou evitativo" ou, ainda, "acho que sou seguro". Alguns têm mais dificuldade para descobrir. Se você teve uma pontuação alta em mais de uma categoria, talvez seja útil saber que existem duas dimensões (detalhadas a seguir) que determinam essencialmente os estilos de apego.

- Seu conforto com a intimidade e com a proximidade (ou em que grau você procura *evitar* a intimidade).
- Sua ansiedade sobre o amor e a atenção de um(a) parceiro(a) e sua preocupação com o relacionamento.

O que achamos particularmente útil é o modo como Brennan e seus colegas apresentam os estilos de apego de forma gráfica, o que fornece uma visão abrangente que ajuda a compreender como o seu estilo próprio se relaciona com o de outras pessoas. Sua localização nestes dois eixos determina seu estilo de apego, como demonstra o gráfico apresentado a seguir:

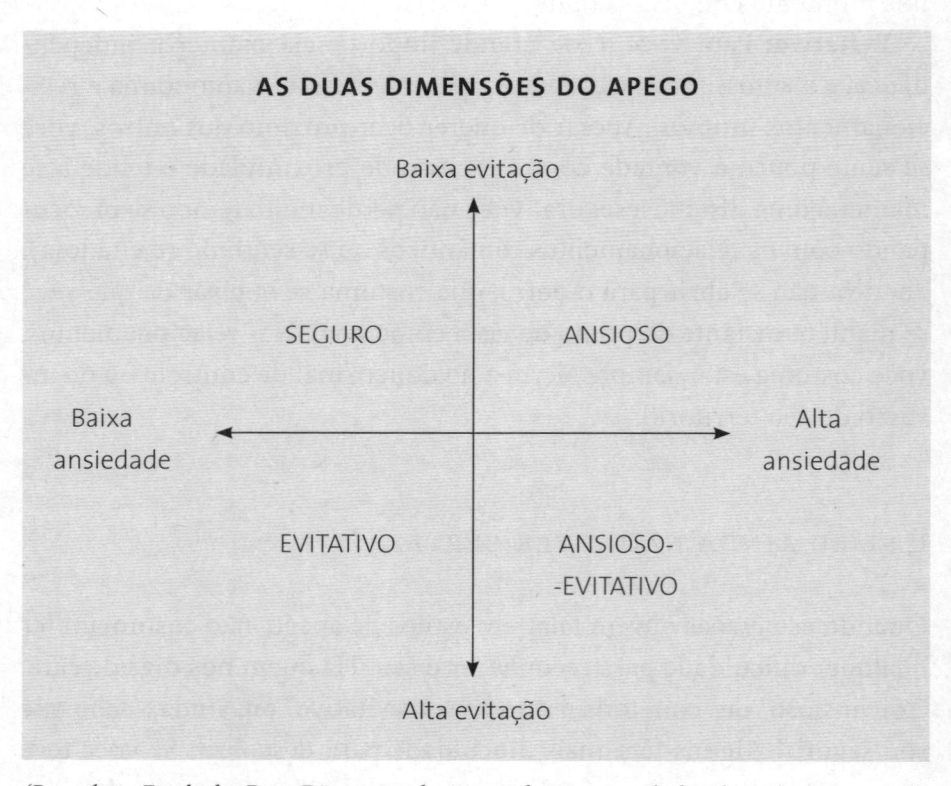

## AS DUAS DIMENSÕES DO APEGO

|  | Baixa evitação |  |
|---|---|---|
| SEGURO |  | ANSIOSO |
| Baixa ansiedade | ⟵⟶ | Alta ansiedade |
| EVITATIVO |  | ANSIOSO--EVITATIVO |
|  | Alta evitação |  |

*(Baseado na* Escala das Duas Dimensões do Apego, *de Brennan, Clark e Shaver.)*

- Se você se sente confortável com a intimidade junto a seu(sua) parceiro(a) romântico(a) (ou seja, se tem um nível baixo de evitação) e não fica obcecado(a) demais com o relacionamento nem com a capacidade de ser correspondido(a) (ou seja, se tem um baixo nível de ansiedade) e enfrenta bem a situação, você provavelmente é seguro(a).
- Se anseia pela intimidade e pela proximidade (ou seja, se tem um nível baixo de evitação) mas tem muitas inseguranças sobre o futuro do relacionamento e se as coisas que o(a) parceiro(a) faz tendem a fazer você perder a cabeça (ou seja, se tem um alto nível de ansiedade no relacionamento), então é provável que seja ansioso(a).
- Se você sente desconforto quando as coisas ficam íntimas ou próximas demais, se valoriza a independência e a liberdade mais do que o relacionamento (ou seja, se tem alto nível de evitação à intimidade) e não tende a se preocupar com os sentimentos ou com o compromisso do(a) parceiro(a) em relação a você, então você provavelmente é evitativo(a).
- Se você se sente desconfortável com a intimidade e muito preocupado com a disponibilidade do(a) parceiro(a), você tem uma rara combinação de ansiedade e evitação no apego. Apenas um pequeno percentual da população entra nessa categoria e, se você se encontra aí, poderá ser beneficiado por informações sobre os estilos de apego ansioso e evitativo.

### Palavra de bebê

De onde surgiram essas classificações? É interessante notar que elas resultam da observação do comportamento de bebês. Os estilos de apego foram definidos inicialmente pelos pesquisadores ao observar o modo como bebês (em geral entre 9 e 18 meses) se comportavam durante o teste da situação estranha (um reencontro com um dos pais depois de um afastamento estressante) descrita na página 36.

A seguir, apresentamos uma breve descrição da forma como os estilos de apego são definidos nas crianças. Algumas das reações também podem ser detectadas em adultos que compartilham do mesmo estilo: seguro – fácil de acalmar; evitativo – sensível, mas suprimindo as necessidades de apego; e ansioso – usa frequentemente o comportamento de protesto e demora a ser acalmado depois de um evento estressante.

**Ansioso:** Este bebê se torna extremamente agitado quando a mãe sai do cômodo. Quando ela volta, ele reage de modo ambivalente – está feliz por vê-la mas também se sente zangado. Leva mais tempo para se acalmar e, quando isso acontece, é apenas temporário. Alguns segundos depois, o bebê afasta a mãe com raiva, se contorce e volta a cair em pranto.

**Seguro:** O bebê seguro fica visivelmente perturbado quando a mãe deixa o cômodo. Quando ela volta, ele fica muito feliz e ansioso para saudá-la. Assim que se encontra na segurança da sua presença, em pouco tempo ele se tranquiliza, se acalma e volta a brincar.

**Evitativo:** Quando a mãe sai do cômodo, este bebê age como se nada tivesse acontecido. Depois que ela volta, ele permanece indiferente, ignora a mãe e continua a brincar. Mas essa fachada não revela toda a história. Na verdade, por dentro, o bebê não está se sentindo nem calmo nem contido. Os pesquisadores descobriram que os batimentos cardíacos desses bebês ficam tão elevados quanto os daqueles que exprimem grande perturbação, e seus níveis de cortisol – um dos hormônios do estresse – são altos.

# 4

## *Segundo passo: decifrando o código — qual é o estilo de apego do outro?*

Reconhecer os estilos de apego de outras pessoas costuma ser mais difícil do que identificar o seu. Para começar, você se conhece melhor – sabe não apenas como se comporta mas também o que sente e pensa quando está em um relacionamento. Em segundo lugar, você pode responder a seu próprio questionário para ajudá-lo no processo. Quando começa a sair com uma pessoa nova, porém, é improvável que você tenha condições de apresentar nosso teste e começar a fazer perguntas sobre seus relacionamentos anteriores. Por sorte, mesmo sem saber, a maioria das pessoas oferece, de forma muito natural, quase todas as informações necessárias para determinar seu estilo de apego nos atos e palavras do cotidiano.

O truque é saber o que procurar, ser um observador atento e um ouvinte interessado. Durante seus estudos sobre o apego, os pesquisadores levam pessoas para o laboratório e fazem perguntas sobre seus relacionamentos amorosos. As atitudes demonstradas em relação à intimidade e à proximidade, além do grau de preocupação com os relacionamentos, determinam os estilos de apego. Mas, na nossa experiência, essas informações estão prontamente disponíveis fora do laboratório, se você souber o que procurar.

Compreender o apego mudará a forma como você perceberá as pessoas que vier a conhecer, mas também dará insights surpreendentes sobre a pessoa com quem já se relaciona.

Ao sair com alguém, seu modo de pensar vai mudar. Em vez de "Ele(a) gosta de mim?", a pergunta passará a ser "Essa pessoa é alguém em quem devo investir do ponto de vista emocional? Ela é capaz de dar o que preciso?". Levar adiante um relacionamento passará a ser uma escolha que *você* precisa fazer. Você vai começar a fazer questionamentos como: "Até que ponto essa pessoa é capaz de manter intimidade? Ela está enviando mensagens contraditórias ou realmente está interessada em se aproximar?" Ao usar este capítulo como um guia, com tempo e prática você será capaz de desenvolver e aprimorar sua capacidade de determinar o estilo de apego de alguém bem no início da relação. Tenha em mente que, ao se empolgar por alguém, sua objetividade fica comprometida e você tende a criar uma imagem idealizada do outro. Tudo o que não se encaixa nessa imagem desaparece no segundo plano. Nos primeiros encontros, porém, é importante dar a mesma atenção a *todas* as mensagens transmitidas e tratá-las com segurança. Isso ajudará a determinar se o relacionamento serve para você e a garantir que ele está indo em uma direção positiva.

Se você está atualmente em um relacionamento, talvez já tenha uma noção sobre o estilo de apego do outro, por tudo que já leu até agora, e vai poder empregar as ferramentas fornecidas a seguir para afiar suas habilidades. Seu modo de pensar também mudará. Deixará de perguntar "Por que ele(a) está sempre me afastando?" e passará a dizer que "O problema não é comigo, de modo algum... ele(a) não se sente à vontade com proximidade excessiva". Desvendar o estilo de apego do seu par romântico permite que se compreenda com mais clareza os desafios particulares que os dois enfrentam como casal – um passo essencial para começar a utilizar os princípios do apego no aprimoramento do vínculo.

## Questionário: para determinar o estilo de apego de seu(sua) parceiro(a)

A seguir, você encontra um questionário criado para ajudá-lo a identificar o estilo de apego da pessoa com a qual tem um relacionamento íntimo.

O questionário está dividido em três grupos. Cada um descreve determinadas características ilustradas com alguns exemplos. *Repare que se, em geral, a característica é verdadeira para o outro, você deve assinalá-la como verdadeira. Também basta que apenas um dos exemplos seja verdadeiro, e não todos eles, para assinalar a opção como verdadeira.* Depois de ler cada característica, decida com base em todas as suas interações e conversas se ela é ou não verdadeira. Quanto mais verdadeiro, mais alta deve ser a pontuação, baseada na seguinte escala:

### Pontuação
1. Muito falso em relação ao outro.
2. Moderadamente verdadeiro em relação ao outro.
3. Muito verdadeiro em relação ao outro.

## GRUPO A

| Pontuação | Descrição |
|---|---|
| 1  2  3 | **1. Envia sinais contraditórios.**<br><br>• Parece distante e indiferente, mas ao mesmo tempo vulnerável (o que você considera irresistível).<br><br>• Oscila entre telefonar várias vezes e não fazer nenhuma ligação.<br><br>• Diz coisas que demonstram intimidade, como por exemplo "quando formos morar juntos...", depois age como se vocês não tivessem um futuro como casal. |
| 1  2  3 | **2. Valoriza imensamente sua independência pessoal** – despreza a dependência e a "carência".<br><br>• "Preciso de muito espaço."<br><br>• "Meu trabalho consome tanto do meu tempo que não há espaço para ter um relacionamento sério na minha vida agora."<br><br>• "Eu nunca poderia ficar com alguém que não tem uma carreira e uma vida própria." |
| 1  2  3 | **3. Desvaloriza você** (ou parceiros anteriores) – mesmo em tom de brincadeira.<br><br>• Piadas sobre como você é um fracasso na orientação por mapas ou sobre como é bonitinho que você tenha formas rechonchudas.<br><br>• Conta sobre alguém por quem tinha grande interesse e diz que a coisa esfriou depois de alguns encontros por causa de alguma característica física.<br><br>• Traiu um parceiro anterior. |

| Pontuação | Descrição |
|---|---|
| 1 2 3 | **4. Usa estratégias de distanciamento** – físico ou emocional.<br>• Teve alguém durante seis anos mas os dois moravam em casas separadas.<br>• Prefere dormir em casa, usar cobertores separados ou dormir em camas separadas.<br>• Prefere tirar férias sozinho(a).<br>• Os planos não são claros – quando vocês se encontrarão de novo ou quando passarão a morar juntos.<br>• Fica um passo à sua frente quando caminham juntos. |
| 1 2 3 | **5. Enfatiza os limites no relacionamento.**<br>• Faz você sentir que aqueles são "MEUS amigos, a MINHA família – mantenha distância!".<br>• Não quer convidar você para ir à casa dele(a). Prefere ficar sempre na sua. |
| 1 2 3 | **6. Tem uma visão pouco realista de como deve ser um relacionamento.**<br>• Fala com entusiasmo sobre o dia em que encontrará a pessoa perfeita.<br>• Idealiza um relacionamento anterior mas fala de forma vaga sobre o que deu errado.<br>• "Não sei se algum dia voltarei a ser capaz de sentir o que sentia pelo(a) meu(minha) ex." |
| 1 2 3 | **7. Desconfiado** – teme que o outro seja um aproveitador.<br>• Está convencido(a) de que as pessoas com quem sai têm como objetivo "fisgá-lo(a)" para o casamento.<br>• Teme que o(a) parceiro(a) se aproveite de sua situação financeira. |

| Pontuação | Descrição |
|---|---|
| 1 2 3 | **8. Tem uma visão rígida sobre os relacionamentos e regras inflexíveis** (que você é obrigado a cumprir).<br>• Tem forte predileção por determinado "tipo" de pessoa: extremamente atraente ou muito magra(o) ou loura(o), por exemplo.<br>• Está convencido de que é melhor viver em casas separadas e não se casar.<br>• Faz afirmações generalizantes do tipo "todas as mulheres/ todos os homens são assim" ou "depois que você se casa ou passa a morar junto, os outros mudam".<br>• Não gosta de falar ao telefone mesmo quando esta é sua principal forma de comunicação. |
| 1 2 3 | **9. Durante uma discordância, precisa se afastar ou "explode".**<br>• "Sabe do que mais? Esquece. Não quero falar no assunto."<br>• Levanta-se e sai, soltando faíscas. |
| 1 2 3 | **10. Não deixa suas intenções claras** – obriga você a adivinhar seus sentimentos.<br>• Fica com você por muito tempo mas não diz "Eu te amo".<br>• Fala sobre passar um ano em outro país sem mencionar como fica a situação de vocês dois. |
| 1 2 3 | **11. Tem dificuldade para falar sobre o que está acontecendo entre vocês.**<br>• Deixa você pouco à vontade para perguntar que rumo o relacionamento está tomando.<br>• Quando você diz que algo incomoda, a resposta é "sinto muito...", sem maiores esclarecimentos.<br>• Alguns assuntos não podem ser abordados. |

(Somar a pontuação das perguntas 1 a 11.)

Total de pontos do grupo A: _____

## GRUPO B

| Pontuação | Descrição |
|---|---|
| 1 2 3 | **1. Confiável e consistente.**<br>• Telefona quando diz que vai telefonar.<br>• Faz planos com antecedência e os executa. Se não consegue, avisa antes, pede desculpas e especifica um plano alternativo.<br>• Não volta atrás nas promessas feitas. Se não for possível cumpri-las, dá explicações. |
| 1 2 3 | **2. Toma decisões com você** (e não unilateralmente).<br>• Discute os planos, não gosta de decidir sem ouvir primeiro sua opinião.<br>• Faz planos que levam em consideração suas preferências. Não presume que sabe o que é melhor. |
| 1 2 3 | **3. Visão flexível dos relacionamentos.**<br>• Não está procurando um tipo particular de pessoa, por exemplo, com certa idade ou aparência.<br>• Demonstra abertura para diferentes combinações – como viver junto ou ter uma conta bancária conjunta em vez de individual.<br>• Não faz afirmações generalizantes do tipo "Todas as mulheres/todos os homens são assim" ou "Depois que você se casa ou passa a morar junto, os outros mudam". |
| 1 2 3 | **4. Comunica bem as questões relativas ao relacionamento.**<br>• Faz você se sentir à vontade por perguntar em que pé anda o relacionamento ou dizer como vê o futuro do casal (mesmo se a resposta não agradar a você).<br>• Diz a você se algo está incomodando. Não faz cena nem espera que você adivinhe. |

| Pontuação | Descrição |
|---|---|
| 1 2 3 | **5. Consegue chegar a acordos quando ocorrem discussões.**<br><br>• Faz o melhor que pode para compreender o que *realmente* está incomodando você e tenta resolver a questão.<br><br>• Quando acontecem desentendimentos, não faz muita questão de demonstrar que era quem sabia resolver o problema. |
| 1 2 3 | **6. Não tem medo de compromisso nem de dependência.**<br><br>• Não tem medo de que você esteja invadindo seu território ou cerceando sua liberdade.<br><br>• Não tem medo de que você esteja tentando forçar um casamento ou botar as mãos no seu dinheiro, etc. Não presume que sabe o que é melhor. |
| 1 2 3 | **7. Não encara o relacionamento como um grande esforço.**<br><br>• Não fala sobre quantas negociações e quantos esforços são exigidos por um relacionamento.<br><br>• Dispõe-se a iniciar um novo relacionamento mesmo quando as circunstâncias não são ideais (por exemplo, quando o trabalho ou o estudo consomem muito tempo). |
| 1 2 3 | **8. Proximidade gera mais proximidade** (e não distanciamento).<br><br>• Depois de uma conversa emotiva ou reveladora, reconforta você e se mostra disponível. Não fica assustado(a) subitamente.<br><br>• Diz como você é importante depois de dormirem juntos (não se limita a dizer *apenas* como o sexo foi bom). |

| Pontuação | Descrição |
|---|---|
| 1 2 3 | **9. Apresenta os amigos e a família logo no início.**<br><br>• Quer que você se torne parte do seu círculo de amigos. Talvez não tome a iniciativa de apresentar a família, mas ficará feliz se você pedir para conhecê-los ou convidá-lo(a) para conhecer a sua. |
| 1 2 3 | **10. Expressa naturalmente seus sentimentos por você.**<br><br>• Em geral, diz logo no início como se sente com relação a você.<br><br>• Usa as três palavrinhas – "eu te amo" – com frequência.<br><br>• Não volta atrás nas promessas feitas. Se não for possível cumpri-las, dá explicações. |
| 1 2 3 | **11. Não faz joguinhos.**<br><br>• Não deixa você sem entender o que se passa nem tenta fazer você sentir ciúme.<br><br>• Não faz cálculos do tipo "Já liguei duas vezes, agora é sua vez" ou "Você esperou um dia inteiro para me ligar de volta, agora vou esperar um dia inteiro também". |

(Somar a pontuação das perguntas 1 a 11.)

Total de pontos do grupo B:_____

## GRUPO C

| Pontuação | Descrição |
|---|---|
| 1 2 3 | **1. Quer bastante proximidade em um relacionamento.**<br>• Concorda em passar as férias juntos, morar juntos ou passar todo o tempo juntos no início do relacionamento (embora possa não ter tomado a iniciativa).<br>• Gosta de muito contato físico (mãos dadas, carícias, beijos). |
| 1 2 3 | **2. Exprime inseguranças** – preocupa-se com a rejeição.<br>• Faz muitas perguntas sobre os(as) parceiros(as) anteriores para se comparar com eles.<br>• Tenta descobrir se você ainda sente alguma coisa pelo(a) ex.<br>• Esforça-se muito para agradar você.<br>• Teme que você deixe de amá-lo(a) ou que perca o interesse sexual. |
| 1 2 3 | **3. Fica infeliz quando não está em um relacionamento.**<br>• É possível sentir que está desesperado(a) para encontrar alguém, mesmo que não diga isso.<br>• Às vezes o encontro parece como uma entrevista para preencher a vaga de "cara-metade". |
| 1 2 3 | **4. Faz joguinhos para manter sua atenção/seu interesse.**<br>• Age com distanciamento e demonstra desinteresse se você passou alguns dias sem telefonar.<br>• Finge não estar disponível no momento.<br>• Tenta manipular certas situações para despertar seu interesse e fazer com que você fique mais disponível. |

| Pontuação | Descrição |
|---|---|
| 1 2 3 | **5. Tem dificuldade para explicar o que o(a) incomoda. Espera que você adivinhe.**<br><br>• Espera que você perceba seu descontentamento a partir de pistas sutis. (Se não funcionar, faz uma cena.) |
| 1 2 3 | **6. Faz cena em vez de tentar resolver o problema entre os dois.**<br><br>• Ameaça partir durante uma discussão (mas depois muda de ideia).<br><br>• Não exprime suas necessidades mas acaba perdendo o controle por causa de uma série de mágoas. |
| 1 2 3 | **7. Tem dificuldade em não se colocar no centro de tudo no relacionamento.**<br><br>• Se você precisa trabalhar até tarde quando o outro tem uma festa, a interpretação é: "Você não quer conhecer meus amigos."<br><br>• Se você chegou em casa cansado(a) e não quer conversa, a interpretação é: "Você não me ama mais." |
| 1 2 3 | **8. Deixa que você dê o tom do relacionamento para não se machucar.**<br><br>• Você liga, o outro liga; você diz que está gostando dele(a), ele(a) diz que está gostando de você (pelo menos a princípio). Não quer se arriscar. |
| 1 2 3 | **9. Preocupa-se com o relacionamento.**<br><br>• Depois de saírem, você vai para casa dormir. O outro vai para a casa dele e conta todos os detalhes para os amigos.<br><br>• Quando vocês não estão juntos, ou lhe telefona mil vezes e envia diversas mensagens ou simplesmente não telefona (fica na defensiva).<br><br>• Você percebe facilmente que o outro se preocupa muito com o relacionamento de vocês. |

| Pontuação | Descrição |
|---|---|
| 1 2 3 | **10. Teme que os pequenos atos venham a arruinar o relacionamento** – crê que deve se esforçar muito para manter seu interesse.<br>• Diz coisas como "Liguei tantas vezes hoje, fico com medo de que você se canse de mim"; "Eu não me apresentei muito bem diante da sua família e agora eles vão me odiar". |
| 1 2 3 | **11. Suspeita de que você seja infiel.**<br>• Descobre sua senha e verifica seus e-mails.<br>• Manifesta excesso de preocupação com seu paradeiro.<br>• Examina seus pertences em busca de evidências da suposta traição. |

(Somar a pontuação das perguntas 1 a 11.)

Total de pontos do grupo C:_____

Pontuação
1. **11-17: Muito baixa.** Seu(sua) parceiro(a) com certeza não tem este estilo de apego.
2. **18-22: Moderada.** Seu(sua) parceiro(a) demonstra uma tendência a este estilo de apego.
3. **23-33: Alta.** Seu(sua) parceiro(a) com certeza tem este estilo de apego.

Em geral, quanto mais alta a pontuação, maior é a inclinação para determinado estilo. Qualquer pontuação a partir de 23 indica uma forte propensão a um estilo de apego. Se seu(sua) parceiro(a) tem uma pontuação alta em *dois* estilos de apego, o mais provável é que sejam o evitativo e o ansioso. Alguns dos comportamentos desses dois estilos são superficialmente semelhantes (embora se originem de atitudes românticas bem diferentes). Neste caso, leia mais adiante as "Regras de Ouro" para uma avaliação mais precisa.

**23 pontos ou mais para o grupo A:** Parece que a pessoa com quem você se relaciona tem um estilo de apego evitativo. Isso significa que você não pode ter garantias de proximidade ou de intimidade. Uma pessoa segura ou ansiosa tem o desejo básico de se aproximar, desejo que está ausente no evitativo. Embora tenha necessidades de apego e de amor – tem também um mecanismo básico no cérebro para buscar o apego –, tende a se sentir sufocado(a) quando há proximidade demais. Com os evitativos, as interações e conversas cotidianas, sejam sobre o canal de televisão a que desejam assistir ou sobre a educação dos filhos, são na realidade negociações de espaço e de independência. Com frequência, você acaba cedendo às vontades do outro – caso contrário ele se isolará. A pesquisa demonstra que os evitativos quase nunca saem com alguém do mesmo estilo de apego. Falta a eles simplesmente a cola que mantém as coisas juntas.

**23 pontos ou mais para o grupo B:** A pessoa com quem você se relaciona tem um estilo de apego seguro. Pessoas assim desejam proximidade. Ao mesmo tempo, não são excessivamente sensíveis à rejeição. São também grandes comunicadores e sabem como transmitir uma mensagem de forma direta, mas não de modo acusatório. Ao se aproximar de alguém com esse estilo de apego, não é mais preciso negociar a intimidade. *Ela é garantida*. Isso liberta os dois para desfrutar a vida e crescer. São capazes de ouvir seu ponto de vista e tentar fazer com que as coisas funcionem de um modo que seja aceitável para os dois. Têm uma compreensão inata de o que significa uma parceria romântica – que o bem-estar de um depende do bem-estar do outro. Essas qualidades permitem que você seja sua versão mais autêntica, o que pesquisas demonstraram ser um dos fatores mais importantes para contribuir para sua felicidade e seu bem-estar geral.

**23 pontos ou mais para o grupo C:** A pessoa com quem você se relaciona tem um estilo de apego ansioso. Alguém com um estilo ansioso anseia por intimidade, mas também é muito sensível à menor das ameaças a essa proximidade. Às vezes, interpreta seus atos inconscientes como uma ameaça ao relacionamento. Quando isso acontece, é inundado(a) de apreensão, mas falta a ele(a) a habilidade para comunicar seu sofrimento de forma efetiva. Com isso, os ansiosos acabam por fazer muitas cenas e dramas. Isso pode gerar um círculo vicioso, pois se tornam mais sensíveis ainda a qualquer deslize e a aflição se amplia. Parece amedrontador, mas antes de desistir é importante saber que, se você é alguém suficientemente sensível para acalmar seus medos – o que é bem factível –, você ganhará um(a) parceiro(a) extremamente amoroso(a) e devotado(a). Assim que você se mostra receptivo(a) à necessidade básica por carinho e segurança, a sensibilidade dele(a) pode se tornar uma vantagem. Ficará bem sintonizado(a) com seus desejos e será prestativo(a) e dedicado(a). E mais: ele(a) também aprenderá aos poucos a comunicar seus medos e emoções com mais eficácia, e você precisará adivinhar o que ele(a) pensa cada vez menos.

## As regras de ouro para decifrar estilos de apego

Se você continua em dúvida, aqui estão o que chamamos de cinco Regras de Ouro para ajudar você a identificar o estilo de apego do outro:

**1. Descubra se a pessoa com quem você se relaciona busca intimidade e proximidade.**

Esta é a primeiríssima pergunta a se fazer sobre seu(sua) parceiro(a). Todas as demais características de apego e comportamentos derivam desse aspecto, que sobrepuja todos os outros. Se a resposta for negativa, você pode ter certeza de que essa pessoa tem um estilo de apego evitativo (veja o capítulo 3 para aprender mais sobre as duas dimensões que determinam os estilos de apego). Ao tentar responder a esta pergunta, abandone visões preconcebidas. Não existe um tipo de personalidade evitativo, nem um tipo que seja seguro ou ansioso. Ele(a) pode ser atrevido(a) e seguro(a) de si e ainda ansiar pela proximidade. Por outro lado, ela(e) pode ser nerd e desajeitada(o) e também ser aversa(o) à intimidade. Pergunte-se: o que este comportamento particular indica sobre a atitude do outro em relação à intimidade e à proximidade? Está fazendo algo ou deixando de fazer por desejar minimizar o nível de intimidade?

Imagine que você está saindo com alguém com filhos de um casamento anterior. Talvez essa pessoa não queira apresentá-los a você por pensar no bem-estar deles e acreditar que ainda é cedo demais para que lidem com essa novidade em sua vida, o que é perfeitamente legítimo. Por outro lado, poderia ser uma forma de manter você a distância e ter uma vida à parte. É preciso observar todo o panorama e ver como esse comportamento se encaixa no outro. Com base no tempo que passou e em quão sério é o relacionamento, ainda parece fazer sentido que essa pessoa seja tão protetora em relação aos filhos? O que faz sentido nas etapas iniciais de um relacionamento não faz sentido depois de dois anos. Ele(a) o apresenta a familiares e amigos próximos? Já considerou seu bem-estar e explicou a situação, permitindo que você expresse o que sente? Se a resposta para as duas perguntas é negativa, então não se trata apenas do que é melhor para as crianças. Trata-se de manter você a uma distância segura.

**2. Avalie quanto o outro se preocupa com o relacionamento e qual seu grau de sensibilidade à rejeição.**

Seu(sua) parceiro(a) se magoa facilmente com as coisas que você diz? Preocupa-se com o futuro do casal ou se seu amor é suficiente para garantir sua fidelidade? Demonstra muita sensibilidade a detalhes do relacionamento que sugerem distanciamento, como, por exemplo, quando você toma decisões que não o(a) levam em consideração? Se a resposta para essas perguntas for positiva, é provável que seu estilo de apego seja ansioso.

**3. Não se baseie em um "sintoma"; procure diversos sinais.**

Para determinar o estilo de apego do outro, não basta observar um único comportamento, atitude ou crença. É por isso que não existe uma característica *isolada* que possa estabelecer esse estilo, mas sim uma combinação de comportamentos e de atitudes que criam um padrão coerente. É o conjunto que conta a história verdadeira. Pode ser muito frustrante não ser apresentado aos filhos da pessoa com quem você está se relacionando, mas se essa pessoa também é capaz de falar no assunto, dar ouvidos à sua frustração e encontrar outros modos para permitir que você faça parte de sua vida, isso não indica uma incapacidade de se aproximar.

**4. Avalie suas reações diante da comunicação efetiva.**

Esta é provavelmente uma das formas mais importantes de desvendar o estilo de apego do outro. *Não tenha medo de expressar suas necessidades, seus pensamentos e seus sentimentos!* Leia o capítulo 11 para obter mais informações sobre a comunicação efetiva. O que costuma acontecer com frequência quando estamos saindo com alguém é que nos censuramos por diferentes motivos: não queremos parecer muito ávidos nem carentes ou acreditamos que ainda é cedo demais para tocar em determinado assunto. No entanto, expressar suas necessidades e seus verdadeiros sentimentos pode servir como um teste muito útil para avaliar a capacidade do outro para atender suas demandas. A reação, em tempo real, é normalmente bem mais reveladora do que qualquer coisa que ele pudesse contar por iniciativa própria.

- **Se ele(a) é seguro(a)** – vai compreender e fazer o que é melhor para acomodar suas necessidades.
- **Se ele(a) é ansioso(a)** – você servirá como um modelo a ser seguido. Ele(a) acolherá a oportunidade para ter maior intimidade e começará a agir de modo mais direto e aberto.
- **Se ele(a) é evitativo(a)** – se sentirá muito pouco à vontade com o maior grau de intimidade que seu desabafo emocional trará e reagirá de uma das formas a seguir:

- "Você é sensível demais/exigente demais/carente demais."
- "Não quero falar no assunto."
- "Pare de analisar tudo!"
- "O que você quer de mim? Não fiz nada errado."
- Ele(a) levará em consideração suas necessidades em relação a determinado assunto apenas para voltar a desconsiderá-lo logo em seguida.
- "Puxa, eu já pedi desculpa!"

**5. Escute e procure entender o que o outro não está dizendo nem fazendo.**

O que não é dito nem feito pelo outro pode ser tão informativo quanto o que ele está dizendo ou fazendo. Confie nos seus instintos. Examine os exemplos de que trataremos a seguir.

Na meia-noite do ano-novo, Rob beijou a namorada e disse: "Estou tão feliz por estar com você. Espero que seja o primeiro de muitos réveillons que vamos passar juntos." A namorada retribuiu o beijo, mas não respondeu. Dois meses depois, eles se separaram.

Durante uma discussão, Pat disse para Jim, seu namorado, que ficava incomodada porque os dois nunca faziam planos antecipados. Ela se sentiria mais confortável e segura se soubesse das coisas de antemão e estivesse a par de quais eram os planos. Jim não respondeu. Simplesmente mudou de assunto. Continuou a aparecer apenas no último minuto. Ela voltou a mencionar a questão, mas ele a ignorou. Pat, por fim, desistiu do relacionamento.

Nos dois casos, o que Jim e a namorada de Rob *não disseram* falou mais alto do que qualquer palavra.

## DICAS PARA DESCOBRIR O ESTILO DE APEGO DO OUTRO

| Evitativo | Seguro | Ansioso |
|---|---|---|
| Envia sinais contraditórios. | Seguro(a) e consistente. | Quer bastante proximidade no relacionamento. |
| Valoriza imensamente a própria independência. | Toma decisões juntamente com você. | Exprime insegurança – preocupa-se com a rejeição. |
| Desvaloriza você ou seus(suas) parceiros(as) anteriores. | Tem visão flexível dos relacionamentos. | Fica infeliz quando não está em um relacionamento. |
| Usa estratégias de distanciamento emocional ou físico. | Comunica bem as questões do relacionamento. | Faz joguinhos para manter sua atenção/interesse. |

| | | |
|---|---|---|
| Enfatiza os limites no relacionamento. | Consegue chegar a um meio-termo nas discussões. | Tem dificuldade de explicar o que o(a) incomoda. Espera que você adivinhe. |
| Tem uma visão pouco realista de como um relacionamento deveria ser. | Não teme o compromisso nem a dependência. | Faz drama e cenas. |
| Desconfiado(a) – receia que o(a) parceiro(a) esteja se aproveitando dele(a). | Não considera que é um grande esforço manter um relacionamento. | Tem muita dificuldade em *não fazer* com que tudo no relacionamento gire em torno dele(a). |
| Tem visões rígidas sobre relacionamentos e regras inflexíveis. | Proximidade gera proximidade. | Permite que você dê o tom do relacionamento. |
| Durante uma discussão, precisa se afastar ou "explode". | Apresenta os amigos e a família logo no início. | Preocupa-se com o relacionamento. |
| Não deixa suas intenções claras. | Exprime com naturalidade o que sente por você. | Receia que pequenos gestos arruínem o relacionamento. Acredita que deve se esforçar muito para manter seu interesse. |
| Tem dificuldade em falar o que está acontecendo entre os dois. | Não faz joguinhos. | Suspeita que você possa ser infiel. |

## Regras de Ouro:

Descubra se seu par busca intimidade e proximidade.

Avalie quanto ele se preocupa com o relacionamento e qual seu grau de sensibilidade à rejeição.

Não se baseie em um "sintoma". Procure diversos sinais.

Avalie sua reação à comunicação efetiva.

Escute e procure entender o que ele *não* está dizendo nem fazendo.

## Prática para decifrar estilos de apego

Leia os seguintes relatos. Consegue identificar o estilo de apego em cada caso? Cubra as respostas com um pedaço de papel. Se realmente deseja se testar, tenha em mente as características prevalentes e as Regras de Ouro que acabamos de delinear (veja o boxe anterior).

**1. Barry, divorciado, 46 anos.**
Relacionamento? Não quero nem ouvir falar sobre o assunto! Ainda estou me curando das feridas do meu divórcio. Quero compensar o tempo em que fui casado. Quero sentir que as mulheres me desejam. Quero muito sexo. Mas sei que preciso ser cuidadoso porque todas as mulheres com quem saio começam logo a fantasiar sobre o tipo de pai que eu serei para os filhos delas ou sobre o modo como nossos sobrenomes combinam. Tenho saído com uma pessoa há quase um ano, seu nome é Caitlin e ela é maravilhosa sob todos os aspectos. Sei que ela adoraria que a relação se tornasse mais séria, mas vai levar muito tempo até que eu esteja pronto para confiar em outra mulher, para me comprometer e amar. Mesmo assim, sei exatamente o que *não quero* e o que não estou disposto a negociar. Como o quê? Pois bem, ela terá que ser autossuficiente do ponto de vista financeiro porque já tenho outra mulher vivendo às minhas custas. Não tenho nenhuma intenção de bancar duas! Mas há também mais alguns limites que não estou disposto a ultrapassar.
Estilo de apego:_____

**Resposta: Evitativo.** Talvez você esteja pensando que esse cara acabou de passar por um divórcio e está propenso a ser cauteloso. Pode ser, mas, até prova em contrário, ele é evitativo. Diz que, mesmo depois de se apaixonar, não abrirá mão de certos pontos, que valoriza a independência, que é desconfiado. Repare no modo como chega a falar nos "filhos dela". Podia estar falando de uma mulher com filhos de um casamento prévio, mas também é possível que, mesmo ao imaginar filhos *em comum*, Barry os considere "filhos dela". A linguagem empregada cria distância. Ele também teme que mulheres queiram se aproveitar dele, prendê-lo pelo matrimônio e explorá-lo financeiramente. Considere a primeira das Regras de Ouro: Descubra se ele busca intimidade e proximidade. Você sabe que ele não quer. Ele fala que quer ser procurado e que deseja muito sexo, mas não menciona nada a respeito de apoio emocional ou proximidade.

**2. Bella, solteira, 24 anos.**

Mark e eu estamos saindo há um ano e meio. Somos felizes juntos. Não me interprete mal, nem tudo era perfeito desde o primeiro dia. Havia várias coisas que me incomodavam em relação a Mark no princípio. Um exemplo: quando nos conhecemos, ele era inexperiente, do ponto de vista sexual, e para ser bem honesta, eu tive que praticamente ensiná-lo a agir na cama. Eu não ia passar o resto da vida me sentindo sexualmente frustrada! Mas isso ficou no passado. Além disso, sou bem mais maluca do que ele. Mark é um sujeito sério, pé no chão. Na verdade, no início eu achei que ele era certinho demais para mim. Mas eu não poderia ter feito uma escolha melhor; Mark é caloroso e confiável – características que não têm preço. Eu o amo muito.

Estilo de apego:_____

**Resposta: Seguro.** A pista mais clara e decisiva sobre o estilo seguro de Bella é o fato de ela ter instruído Mark na cama. É um grande exemplo de comunicação clara e eficiente de questões sobre o relacionamento. Ela encontra um problema, quer resolvê-lo e se sente suficientemente confiante para encará-lo. Se Bella fosse ansiosa, talvez culpasse a si mesma pelas deficiências de Mark na cama. Talvez concluísse que ele simplesmente não se sentia atraído por ela e que, por esse motivo, não se esforçava muito para agradá-la. Outra possibilidade seria que ela exibisse um sorriso torto e suportasse a situação para não prejudicar o relacionamento. Se Bella fosse do tipo evitativo, não culparia a si mesma, mas usaria a incompetência de Mark para menosprezá-lo, uma estratégia de distanciamento, e provavelmente não ensinaria a ele de uma forma tão natural, como fez. Também é evidente que Bella tem uma visão flexível sobre os relacionamentos. Embora Mark não corresponda à sua definição de "homem ideal", ela fez a transição mental sem muita hesitação e, mais importante, está muito satisfeita com a decisão que tomou. Se ela fosse do tipo evitativo, talvez tivesse feito o mesmo ajuste, mas é provável que se sentisse traída por ter que fazê-lo. Por fim, Bella exprime seus sentimentos por Mark de uma forma aberta e natural.

### 3. Janet, solteira, 23.

Finalmente conheci um cara incrível, um cara realmente incrível. Tim e eu saímos duas vezes e eu sinto que já estou me apaixonando. É difícil encontrar alguém com quem eu seja compatível – só sinto atração por um certo tipo de homem e aí quais seriam as chances de ele me achar atraente também? A probabilidade é bem baixa. Então conheci Tim. Quero ter certeza de que estou fazendo tudo certo. Não posso me dar o luxo de cometer erros. Um único deslize e eu poderia pôr em risco o relacionamento inteiro. Estou esperando que ele estabeleça o ritmo porque não desejo parecer excessivamente ávida. E se eu mandasse uma mensagem de texto para ele? Pode parecer tranquilo e espontâneo, não acha? E se encaminhasse para ele alguma mensagem engraçada como parte de uma lista de e-mails?

Estilo de apego: _____

**Resposta: Ansioso.** Janet tem uma ansiedade típica. Procura a proximidade, sente-se incompleta quando está sozinha e fica muito preocupada com o relacionamento. É verdade que nos primeiros encontros pessoas de todos os estilos de apego se empolgam com o outro e pensam um bocado nele. Porém, no caso de Janet, a coisa vai um pouco mais longe – ela considera os relacionamentos algo frágil e raro e acredita que qualquer deslize de sua parte pode arruiná-los. Assim, ela avalia incontáveis vezes cada movimento, para não cometer um "erro". Escolhe também deixar que Tim estabeleça o tom e o ritmo do relacionamento. Por fim, por ser insegura, ela faz joguinhos, pensando em formas de entrar em contato com Tim de modo indireto, sem correr riscos – como inventar uma lista de e-mails como desculpa para escrever para ele.

**4. Paul, solteiro, 37 anos.**
Acabei há pouco meu relacionamento com Amanda. Fiquei muito desapontado, mas sei que não poderia ter passado minha vida ao lado dela. Saímos durante alguns meses e, a princípio, fiquei certo de ter encontrado a mulher dos meus sonhos. Mas algumas coisas começaram a me incomodar. Em primeiro lugar, estou convencido de que ela fez cirurgia plástica, o que é um tremendo balde de água fria. Além disso ela não é muito segura de si, o que considero pouco atraente. E quando mudo meus sentimentos por alguém, não consigo ficar nem mais um minuto a seu lado. Vou simplesmente ter que continuar minha procura. Sei que a mulher certa está em algum lugar, à minha espera, e não importa o tempo que leve, vamos nos encontrar e ficar juntos. É um sentimento visceral: posso ver seu sorriso, sentir seu abraço. Sei que, quando nos conhecermos, eu terei uma sensação imediata de calma e de tranquilidade. Não importa quantas vezes fracassar, prometo a mim mesmo que continuarei a procurar.
Estilo de apego: _____

**Resposta: Evitativo.** Pode ser confuso identificar o estilo de apego neste caso. Paul anseia encontrar a mulher dos sonhos. Isso significa que ele deve ser seguro ou ansioso, certo? Errado. Sua descrição do "verdadeiro amor" ideal deve levantar um sinal de alerta. Além do mais, pessoas com diferentes estilos de apego tendem a explicar por que estão sozinhas de maneiras diferentes: ansiosos costumam explicar que estão sós porque há algo de errado neles; os seguros terão uma visão mais realista das coisas, e os evitativos se parecem com Paul – atribuem sua solteirice a circunstâncias externas, tais como não ter encontrado ainda a mulher certa. Esta é uma boa oportunidade de olhar além do que é dito e passar a olhar o que *não* é dito: se não compreendeu claramente por que alguém não encontrou "a pessoa certa", mesmo tendo saído com um grande número de mulheres, você deve ler nas entrelinhas. Há também algumas pistas no modo como Paul descreve seu relacionamento com Amanda: ficou muito empolgado, mas depois que os dois se aproximaram ele começou a perceber coisinhas que ele não julgava atraentes.

Desvalorizar seu parceiro quando a proximidade aumenta é algo típico de pessoas com um estilo de apego evitativo e é um modo de criar distância emocional.

### 5. Logan, solteiro, 34 anos.

Só saí com três pessoas na minha vida, incluindo a Mary. Quando nos conhecemos, há uns dois anos, lembro-me que Mary ficou bastante desconcertada com isso. Não parava de fazer perguntas sobre meus relacionamentos anteriores e, quando percebeu que eu realmente lhe contara tudo e que não escondia nada, pareceu confusa e me perguntou se eu não havia sentido que faltava alguma coisa. Queria saber se eu não tinha ficado preocupado por ter permanecido tanto tempo sozinho; se eu não tinha medo de não encontrar alguém. Com toda a sinceridade, isso nunca me passou pela cabeça. Com certeza, tive minha cota de decepções, mas entendia que eu encontraria alguém quando a hora certa chegasse. E aconteceu. Eu soube que amava Mary quase imediatamente e disse a ela o que sentia. Quando foi que ela correspondeu? Não tenho muita certeza, mas sabia que era louca por mim antes de me dizer.

Estilo de apego: _____

**Resposta: Seguro.** Existem várias pistas de que Logan tem um estilo de apego seguro. Não está preocupado com os relacionamentos nem receia ficar sozinho, o que elimina o estilo ansioso (embora pareça que sua namorada, Mary, seja ansiosa, pelas mesmas razões). A pergunta que fica é se Logan tem um estilo evitativo ou seguro. Várias indicações eliminam o estilo evitativo. Em primeiro lugar, pareceu ser bem aberto com Mary ao falar sobre seus relacionamentos passados, pôs as cartas na mesa e não se irritou com a curiosidade dela (nem enfeitou sua história romântica como um ansioso costuma fazer). Em segundo lugar, sentiu-se confortável em expressar seus sentimentos para Mary logo no começo, o que costuma ser uma característica do apego seguro. Se fosse do tipo evitativo ele estaria mais propenso a enviar sinais contraditórios. Repare também que ele não se envolveu em jogos – não sabe ao certo quando Mary correspondeu a seus sentimentos. É apenas fiel a si mesmo e age do modo mais genuíno sem deixar que outras considerações interfiram.

### 6. Suzanne, solteira, 33 anos.

O próximo Dia dos Namorados vai marcar o início do ano em que encontrarei um marido. Estou cansada de ficar só. Não aguento mais voltar para casa e encontrar uma casa vazia, ir ao cinema sozinha, de fazer sexo sozinha ou com algum desconhecido. Este ano, encontrarei alguém maravilhoso que será meu! No passado, dediquei-me por completo a meus parceiros e acabei terrivelmente magoada. Perdi a esperança de encontrar alguém bom. Mas tive que superar o medo de me ferir. Estou disposta a me expor, a assumir o risco e me lançar. Compreendo que sem dor não há conquistas e, sem que eu abra meu coração, não há possibilidade de que alguém possa entrar. Não cederei ao desespero. Mereço ser feliz.

Estilo de apego: _____

**Resposta: Ansioso.** É um testemunho claro de alguém ansioso que já se machucou muitas vezes. Está absorvida pela ideia de encontrar alguém. Quer sair e descobrir sua cara-metade, mas, por não estar familiarizada com outros princípios do apego, ela não sabe quem deve evitar e em que confiar. Suzanne é muito diferente de Paul, no exemplo 4. Não está procurando o parceiro "ideal". Temos uma ideia de qual é o problema, por que ela não encontrou alguém: ela se aproxima e depois se machuca, mas continua a ansiar pela proximidade. Paul não vai se aproximar até encontrar "a mulher certa".

# Parte 2

## Os três estilos de apego na vida cotidiana

## 5

## *A vida com um sexto sentido para o perigo: o estilo de apego ansioso*

Baruch Espinosa, famoso filósofo do século XVII, disse: "Toda felicidade ou infelicidade depende unicamente da qualidade do objeto ao qual aderimos por amor." Portanto, escolha com sabedoria a hora de se envolver com alguém, porque há muito em jogo: sua felicidade depende disso! Descobrimos que isso é particularmente verdadeiro para aqueles com um estilo de apego ansioso. Ao desconhecer o sistema de apego, arriscam-se a ter muito sofrimento nos relacionamentos, como pode ser visto pelo exemplo de Emily, colega de Amir.

### Você é tão problemático quanto seu relacionamento atual

Quando fazia a residência em psiquiatria, Emily decidiu também que queria se tornar psicanalista. Antes do início das aulas em um instituto de psicanálise, exigia-se que ela própria entrasse em análise por um período mínimo de um ano, fazendo terapia quatro vezes por semana, deitando-se no divã e falando sobre qualquer coisa que lhe viesse à mente. No início, Emily foi muito bem. Na verdade, parecia tão equilibrada que seu analista pensou que ela poderia encerrar a análise no máximo em dois anos – algo inédito, considerando que o processo costuma durar pelo menos quatro ou cinco anos.

Aí ela conheceu David, por quem se apaixonou muito depressa. David, um aspirante a ator, não foi uma boa novidade em sua vida. Ele emitia sinais contraditórios quanto a ficarem juntos e aquilo realmente abalava Emily. Seu comportamento se modificou muito até que ela passou a parecer completamente desestabilizada. Nós costumávamos correr juntos em volta da represa no Central Park. Ela trazia tanto o *pager* que usava no trabalho quanto o celular (e naqueles dias os celulares eram relativamente grandes e pesados!). Ficava verificando os aparelhos a cada minuto para ver se ele tinha feito contato. No trabalho, passava horas rastreando as atividades de David na internet, uma novidade na época, criando uma identidade digital falsa e conversando com ele nas salas de bate-papo que ele frequentava. Em resumo, ficou obcecada.

O analista não conseguia entender como se dera essa transformação terrível com sua candidata mais promissora. Antes resiliente e centrada, Emily começou a virar alguém com "características de personalidade masoquista e borderline". Parecia, agora, que a análise levaria muitos anos.

## Um sistema de apego sensível

Mas Emily não era um caso de masoquismo nem sofria do transtorno de personalidade borderline. Era um caso simples de sistema de apego ativado. Pessoas com o estilo ansioso, como Emily, têm um *sistema de apego* supersensível. Como mencionamos nos capítulos anteriores, o sistema de apego é o mecanismo em nosso cérebro responsável por rastrear e monitorar a segurança e a disponibilidade de nossas figuras de apego. Se você tem um estilo de apego ansioso, você possui uma habilidade única para sentir quando seu relacionamento está sob ameaça. Mesmo o mais leve indício de que algo pode estar errado ativará seu sistema de apego, e, assim que ele é ativado, você fica incapaz de se acalmar até obter uma indicação clara de que a pessoa com quem você se relaciona está verdadeiramente disponível para você e de que o relacionamento é seguro. As pessoas com outros estilos de apego também são ativadas, mas não captam os detalhes sutis como quem tem o estilo ansioso.

Para demonstrar como é sensível o sistema de apego de pessoas com estilo ansioso, um estudo do laboratório de Chris Fraley (o mesmo pesquisador que criou o questionário ECR-R sobre estilos de apego), na Universidade de Illinois em Urbana-Champaign, desenvolvido em colaboração com Paula Niedenthal, da Universidade Blaise Pascal em Clermont-Ferrand, na França, descobriu uma forma singular de medir o grau de vigilância às deixas sociais do estilo de apego ansioso. Usaram uma técnica de *morph movie* – filme computadorizado em que um rosto inicialmente mostra expressões emocionais específicas (como a raiva) e aos poucos evolui para uma expressão neutra. Pedia-se aos participantes que interrompessem o filme no quadro em que acreditavam que a emoção original havia se dissipado. Descobriram que quem tinha um estilo de apego ansioso estava mais propenso a perceber antes dos outros o esvaziamento da emoção. Quando a ação acontecia ao contrário – começando com o rosto neutro e gradualmente assumindo uma expressão pronunciada –, mais indivíduos ansiosos percebiam o início da emoção antes dos outros.

Essas descobertas sugerem que pessoas com estilo de apego ansioso são de fato mais perceptivas às mudanças na expressão emocional e podem ter um grau mais alto de precisão e de sensibilidade aos sinais apresentados pelos outros. No entanto, essa constatação vem com uma ressalva. O estudo mostrou que pessoas com um estilo ansioso tendem a tirar conclusões precipitadas e, quando isso acontece, também tendem a interpretar de maneira incorreta o estado emocional dos outros. Só conseguiram ter uma vantagem em relação aos demais participantes quando o experimento era programado de tal modo a obrigar que os ansiosos tivessem que esperar um pouco mais e obter mais informações antes de chegarem a alguma conclusão. Esta é uma lição importante para pessoas com estilo de apego ansioso. Se você esperar um pouquinho mais antes de reagir e julgar, terá uma capacidade incomum de decifrar o mundo à sua volta e tirar vantagem disso. Mas, se agir de forma precipitada, vai tirar conclusões erradas e se magoar.

Quando ativados, costumam se consumir com pensamentos com um objetivo único: restabelecer a proximidade com o outro. Esses pensamentos são chamados de *estratégias de ativação*.

As estratégias de ativação são quaisquer pensamentos ou sentimentos que o compelem a se aproximar de seu parceiro, do ponto de vista físico ou emocional. Assim que ele reage restabelecendo a segurança, você pode retornar ao seu jeito calmo e normal.

### Estratégias de ativação

**Pensamentos e sentimentos que o compelem a buscar proximidade com o(a) parceiro(a)**

- Pensar o tempo todo nele(a), dificuldade de se concentrar em outras coisas.
- Lembrar-se apenas das qualidades.
- Colocá-lo(a) em um pedestal: subestimar seus talentos e habilidades e superestimar os dele(a).
- Um sentimento de ansiedade que só desaparece quando você está em contato com ele(a).
- Acreditar que esta é sua única chance para o amor, refletindo-se em frases como:

    "Sou compatível com pouquíssimas pessoas – quais são as chances de conhecer alguém como ele(a)?"

    "Preciso de anos para conhecer alguém novo. Vou acabar sozinho(a)."

- Acreditar que, mesmo infeliz, é melhor não desistir do relacionamento, o que se reflete em frases como:

    "Se ele(a) partir, vai ser tornar um(a) ótimo(a) parceiro(a)... para outra pessoa."

    "Ele(a) consegue mudar."

    "Todos os casais têm problemas... Não somos diferentes de ninguém."

No caso de Emily, seu sistema de apego havia acertado no alvo. Durante o relacionamento, ela descobriu que David passava horas vendo pornografia na internet enquanto ela trabalhava e ele deveria, supostamente, estar fazendo testes de atuação. Ela também descobriu que ele flertava na internet com outras garotas (inclusive com sua identidade digital falsa) em várias salas de bate-papo. Mesmo assim, ela teve muita dificuldade para terminar o namoro. Era bombardeada por estratégias de ativação parecidas com aquelas que acabamos de delinear, pensando que ele mudaria, que todo mundo tem problemas e assim por diante. Levou mais de um ano para que conseguisse reunir a coragem para romper o elo. Durante aquele período e um bom tempo depois do rompimento, ela passava a análise falando nele a maior parte do tempo. Anos mais tarde, após ter se casado com um ótimo sujeito e de voltar a ser a pessoa resiliente de sempre, ela lembra de toda a experiência com perplexidade. Não consegue acreditar que desperdiçou seu tempo na terapia examinando as profundas raízes dos comportamentos "fanáticos" em torno daquele relacionamento. Se tivesse conseguido encontrar um bom sujeito antes – alguém que não ativasse continuamente seu sistema de apego –, ela teria se poupado daquele mergulho desnecessário nas suas "características de personalidade masoquista e borderline".

## O FUNCIONAMENTO DO SISTEMA DE APEGO

Para alguém que se apega muito depressa e que tem um sistema de apego sensível, descobrir como ele funciona não tem preço. Muita gente com estilo ansioso, como Emily, vive com um sistema cronicamente ativado sem perceber. O quadro a seguir mostra como isso funciona.

# O SISTEMA DE APEGO: COMO ENCONTRAR SEU CAMINHO PARA A ZONA DE CONFORTO

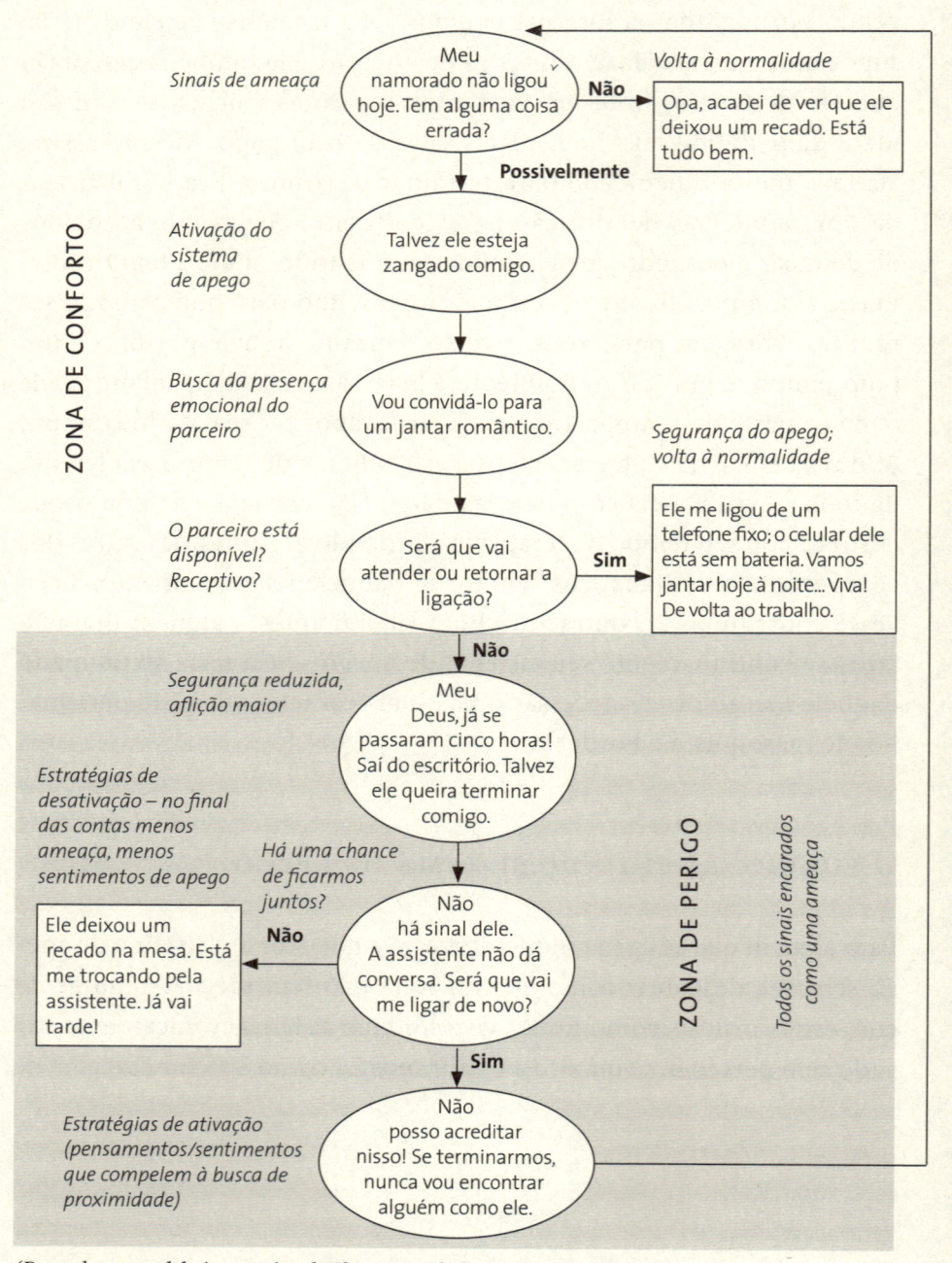

**ZONA DE CONFORTO**

- *Sinais de ameaça* — Meu namorado não ligou hoje. Tem alguma coisa errada? → **Não** → *Volta à normalidade*: Opa, acabei de ver que ele deixou um recado. Está tudo bem.
- ↓ **Possivelmente**
- *Ativação do sistema de apego* — Talvez ele esteja zangado comigo.
- *Busca da presença emocional do parceiro* — Vou convidá-lo para um jantar romântico.
- *O parceiro está disponível? Receptivo?* — Será que vai atender ou retornar a ligação? → **Sim** → *Segurança do apego; volta à normalidade*: Ele me ligou de um telefone fixo; o celular dele está sem bateria. Vamos jantar hoje à noite... Viva! De volta ao trabalho.
- ↓ **Não**

**ZONA DE PERIGO** — *Todos os sinais encarados como uma ameaça*

- *Segurança reduzida, aflição maior* — Meu Deus, já se passaram cinco horas! Saí do escritório. Talvez ele queira terminar comigo.
- *Estratégias de desativação – no final das contas menos ameaça, menos sentimentos de apego* — *Há uma chance de ficarmos juntos?* Não há sinal dele. A assistente não dá conversa. Será que vai me ligar de novo? → **Não** → Ele deixou um recado na mesa. Está me trocando pela assistente. Já vai tarde!
- ↓ **Sim**
- *Estratégias de ativação (pensamentos/sentimentos que compelem à busca de proximidade)* — Não posso acreditar nisso! Se terminarmos, nunca vou encontrar alguém como ele.

*(Baseado no modelo integrativo de Shaver e Mikulincer de 2002.)*

\*\*\*

Quando Emily estava com David, em termos de relacionamentos, ela passava a vida na *zona de perigo*. Sentia que estava em uma corda bamba sem uma rede de segurança por baixo, esforçando-se ansiosamente para manter seu equilíbrio emocional enquanto atravessava infindáveis ciclos de ativação, com raros e breves momentos de alívio antes que tudo recomeçasse. Seus pensamentos, sentimentos e comportamentos eram governados pelo fato de David não estar verdadeiramente disponível para ela. Era tomada por uma sensação quase constante de ameaça ao relacionamento. Estava sempre ocupada tentando minimizá-la, procurando ficar perto dele – fosse passando na internet muitas horas preciosas do trabalho fingindo ser outra pessoa ou falando dele constantemente na análise e para os amigos. Desse modo, ela ficava com ele na cabeça o tempo todo. Tantos pensamentos e comportamentos aparentemente erráticos – estratégias de ativação – tinham um objetivo: estabelecer a proximidade com David. Se David estivesse disponível para Emily de um modo consistente, essas estratégias de ativação teriam sido cortadas no início, em vez de aumentarem até saírem de controle, e Emily nunca teria que deixar a *zona de conforto* do relacionamento. Hoje em dia, Emily está casada e não está mais presa na zona de perigo. Seu marido é amoroso, solícito e, o mais importante, disponível. Ela ainda tem muita consciência, no entanto, da força poderosa de um sistema de apego ativado. Se fosse entrar em outro relacionamento com alguém que não estivesse disponível de modo consistente, ela provavelmente voltaria ao seu velho modo "obcecado". A ideia de que algo assim possa acontecer de novo lhe causa arrepios.

## Viver na zona de conforto: Ryan e Shauna

Ryan e Shauna eram colegas de trabalho e se apaixonaram. Estavam casados há vários anos quando Ryan deixou aquele emprego para assumir um posto com um alto salário em uma firma de prestígio. Pela primeira vez, o casal não passava mais os dias juntos. Quando Ryan partiu na primeira viagem de trabalho com os novos colegas, ele sentiu falta de Shauna e tentou telefonar. A chamada caiu na caixa postal depois de tocar duas vezes. Ele sabia que aquilo não estava certo, ficou perturbado e ligou de novo. Dessa vez, a chamada foi diretamente para a caixa postal. Ele não deixou recado. Ficou magoado por ela ter desligado o telefone da segunda vez. Teve dificuldades em se concentrar durante a reunião de trabalho, mas prometeu a si mesmo que não ligaria para ela pelo resto da viagem. Por sorte, uma hora depois, Shauna mandou uma mensagem de texto pedindo desculpas por não ter atendido – não tivera condições de atender porque o chefe estava bem na sua frente no momento da chamada. Ryan ficou aliviado e ligou para ela na mesma hora.

Ryan, dono de um estilo de apego ansioso, tem um sexto sentido para pistas relacionadas ao apego. Está bem sintonizado aos pequenos detalhes relacionados à disponibilidade de sua parceira: prestou atenção no número de vezes que o telefone tocou antes de cair na caixa postal. Concluiu corretamente que Shauna havia apertado o botão "ignorar chamada" e que depois desligou o telefone, pistas que poderiam ter passado despercebidas por alguém com um estilo de apego diferente. Ele ficou especialmente sensível pois estava acostumado a encontrar Shauna a três salas de distância e aquela era a primeira viagem pela nova firma. Para sorte de Ryan, Shauna tem um estilo de apego seguro e, sem grandes esforços, foi capaz de responder a ele e restabelecer o contato, acalmando seu sistema de apego. Diferentemente de Emily, Ryan não se viu na zona de perigo do relacionamento, pois suas ansiedades foram apaziguadas.

Repare que, se você se sente perturbado(a) em uma situação do relacionamento, tudo que é preciso é ser minimamente tranquilizado(a) pela outra pessoa – com uma mensagem de texto, no caso de Shauna – para voltar ao caminho certo. Mas, se você não é tranquilizado, suas preocupações quadruplicam e será preciso bem mais do que uma simples mensagem de texto para acalmar seu sistema de apego. Trata-se de uma percepção importantíssima para qualquer pessoa envolvida em um relacionamento. Quanto mais sintonizado se está às necessidades do parceiro nos estágios iniciais – e vice-versa –, menos energia será necessária para cuidar dele tempos mais tarde.

De fato, se Shauna não tivesse reagido daquele modo, Ryan teria continuado a ter dificuldades para se concentrar no trabalho (estratégias de ativação) e provavelmente agiria com frieza ou explodiria ao telefone (comportamento de protesto) quando ela finalmente telefonasse. Tudo isso seria bem destrutivo para a relação.

---

### Exemplos de comportamento de protesto — como deixar seu sistema de apego acionar o melhor em você

*Tentativas excessivas de restabelecer o contato:*
- Telefonar, mandar mensagens de texto ou e-mails múltiplas vezes, esperando um telefonema, passando pelo local de trabalho do(a) parceiro(a) na esperança de esbarrar com ele(a).

*Recolhimento:*
- Ficar "mergulhado(a)" no jornal, literalmente dando as costas para o(a) parceiro(a), sem falar, conversando com outras pessoas ao telefone, ignorando-o(a).

*Dar o troco:*
- Prestar atenção em quanto tempo levou para que retribuíssem seu telefonema e esperar o mesmo tempo para ligar de volta. Esperar que o outro faça o primeiro gesto para "fazer as pazes", agindo com distância até esse momento. Quando Ryan decidiu não deixar um recado depois que ela não atendeu suas ligações, ele pretendia dar o troco ("Se não atende minhas ligações, não vou deixar recado.").

*Agir com hostilidade:*
- Revirar os olhos quando o outro fala, desviar o olhar, levantar-se e sair da sala enquanto estão falando (o comportamento hostil pode descambar para a violência).

*Ameaçar partir:*
- "Não estamos conseguindo nos entender. Acho que não aguento mais." / "Sabia que não éramos feitos um para o outro." / "Vou ficar melhor sem você." – Ameaças feitas torcendo para que o outro impeça sua partida.

*Manipulações:*
- Agir como se estivesse ocupado(a) ou inacessível. Ignorar telefonemas, dizendo que tem (quando você não tem).

*Provocar ciúme:*
- Planejar um almoço com o(a) ex, sair com amigos para um bar de solteiros, dizer a seu(sua) parceiro(a) que recebeu uma cantada.

\*\*\*

O *comportamento de protesto* é qualquer ação para tentar restabelecer o contato com o parceiro e obter a sua atenção. Existem muitas manifestações possíveis. Trata-se de qualquer coisa que possa sacudir o outro e obrigá-lo a prestar atenção em você e reagir.

O comportamento de protesto e as estratégias de ativação podem levar você a agir de formas prejudiciais ao relacionamento. É muito importante aprender a reconhecê-los quando acontecem. (No capítulo 8, você encontrará o inventário do relacionamento, projetado para ajudá-lo(a) a identificar seus comportamentos de protesto e a achar maneiras mais construtivas para lidar com situações difíceis.) Esses comportamentos e estratégias também podem continuar muito tempo depois de o(a) parceiro(a) ter ido embora. É a dor de um coração partido – a saudade de alguém que não está mais disponível para nós quando nossa constituição biológica e emocional está programada para tentar trazê-lo de volta para o nosso lado. Mesmo se a mente racional sabe que você não deveria estar com essa pessoa, nem sempre seu sistema de apego se comporta de acordo. O processo de apego segue seu próprio curso e seu próprio cronograma. Isso significa que você continuará a pensar no outro e será incapaz de tirá-lo da cabeça por muito tempo.

O que ocorre é que pessoas com estilo ansioso são particularmente suscetíveis a desenvolver uma situação de sistema de apego cronicamente ativado. Um estudo conduzido por Omri Gillath, Silvia Bunge e Carter Wendelken, juntamente com dois destacados pesquisadores do apego, Phillip Shaver e Mario Mikulincer, descobriu evidências fascinantes desse processo. Por meio da tecnologia de imagens por ressonância magnética funcional, eles pediram a 20 mulheres que pensassem – e depois parassem de pensar – em várias situações de relacionamento. Curiosamente, descobriram que, quando mulheres com estilo de apego ansioso pensavam em situações negativas (conflitos, rompimentos, a morte de um parceiro), áreas do cérebro relacionadas às emoções "acendiam" em um grau maior do que em mulheres com outros estilos de apego. E mais: descobriram que as regiões do cérebro associadas com a regulação emocional, como o córtex orbitofrontal, eram *menos* ativadas do que em mulheres com outros estilos. Em outras palavras, o cérebro de pessoas com estilo de apego ansioso reage com mais intensidade aos pensamentos de perda e, ao mesmo tempo, recorrem menos às regiões que normalmente são usadas para dosar as emoções negativas. Isso significa que, uma vez ativado o sistema de apego, você terá dificuldades bem maiores para "desligá-lo", se tiver um estilo ansioso.

※ ※ ※

Compreender o sistema de apego é crucial para pessoas com um estilo ansioso. Reside aí sua chance de manter um relacionamento feliz e realizado.

Dividimos nossa orientação para pessoas com o estilo ansioso em duas rotas separadas – a primeira é para aquelas que não estão em um relacionamento. Encontrar o parceiro correto para começar é a melhor opção disponível, se você é solteiro(a). Pode funcionar como mágica para evitar dificuldades antes mesmo que elas apareçam. Mas seguir pelo caminho da segurança pode ser mais complicado do que você acha. O restante deste capítulo é dedicado a guiar solteiros com estilo de apego ansioso na direção de um parceiro seguro, evitando as armadilhas no caminho. A segunda rota é para qualquer um que tenha um estilo de apego ansioso – tanto para aqueles que estão atualmente em um relacionamento quanto para aqueles que ainda buscam o parceiro certo. Esta trilha envolve uma reformulação de modelos de apego em funcionamento – basicamente repensar suas atitudes e crenças a respeito das relações pelo prisma do apego para se reequipar com habilidades mais seguras. As partes 3 e 4 são dedicadas a este segundo grupo.

## O SEGREDO PARA ENCONTRAR UM BOM RELACIONAMENTO SE VOCÊ É ANSIOSO

Emily, a moça que você conheceu no início do capítulo, não conhecia a teoria do apego. Não sabia que tinha um estilo ansioso. Também não estava consciente de que David, o homem por quem estava obcecada, tinha um estilo evitativo. Se soubesse, teria compreendido que ser ansiosa significa que ela prospera com relacionamentos cheios de intimidade e companheirismo, estáveis e duradouros, e que a insegurança e a indisponibilidade emocional a deixam ativada e preocupada, ou, em outras palavras, infeliz. Teria sabido também que algumas pessoas – os evitativos, melhor dizendo – intensificam suas preocupações e seus sentimentos de inadequação, enquanto outras – os seguros – os tranquilizam. Emily, como a maioria dos ansiosos, paradoxalmente acaba saindo com gente com um estilo evitativo, embora as descobertas da teoria do apego deixem claro que os ansiosos se dão melhor com os seguros. Por que isso acontece? E, mais importante: como é possível encontrar a felicidade e evitar sofrimentos desnecessários?

## A FORÇA DA GRAVIDADE?

Uma série de estudos examinou a seguinte questão: nós nos sentimos atraídos pelas pessoas com base no estilo de apego delas ou no nosso? Duas pesquisadoras no campo do apego adulto, Paula Pietromonaco, da Universidade de Massachusetts, e Katherine Carnelley, da Universidade de Southampton, no Reino Unido, descobriram que indivíduos evitativos preferem, na verdade, pessoas com apego ansioso. Outro estudo, feito por Jeffry Simpson, da Universidade de Minnesota, mostrou que mulheres ansiosas estão mais propensas a sair com homens evitativos. É possível que aqueles que guardam sua independência com mais ferocidade procurem os parceiros com mais chances de cercear sua autonomia? Ou será que as pessoas que buscam a proximidade se sentem atraídas por outras que desejam afastá-las? E, se é verdade, por que isso acontece?

Pietromonaco e Carnelley acreditam que esses estilos de apego, na realidade, se complementam de algum modo. Cada um reafirma as crenças do outro sobre si mesmo e sobre os relacionamentos. A autoimagem defensiva dos evitativos, como indivíduos fortes e independentes, se confirma, assim como a crença de que os outros querem obrigá-los a um grau de proximidade acima do que lhes deixaria à vontade. Os tipos ansiosos descobrem que sua percepção sobre desejar mais intimidade do que o outro consegue fornecer é confirmada, bem como a expectativa de acabar se decepcionando com a pessoa amada. Assim, de certo modo, cada estilo se enreda para reencenar seguidas vezes um roteiro familiar.

### A MONTANHA-RUSSA EMOCIONAL

Mas existe outro motivo para que você se sinta atraído(a) por um(a) parceiro(a) do tipo evitativo, caso seja ansioso(a). No exemplo de Emily, os sutis indicadores de incerteza e indisponibilidade de David faziam com que ela se sentisse insegura. É o que costuma acontecer, mesmo no início do relacionamento, caso você seja ansioso e esteja saindo com alguém com estilo evitativo. Bem cedo, você começa a receber sinais contraditórios. A pessoa liga, mas demora para fazer isso. Tem interesse por você, mas deixa claro que ainda está por aí avaliando o terreno. Você precisa adivinhar o que passa na cabeça do outro. Cada vez que recebe sinais contraditórios, seu sistema de apego é ativado e você se preocupa com o relacionamento. Aí ele(a) faz um elogio ou um gesto romântico que leva seu coração a disparar e você conclui que ele(a) está mesmo interessado(a). Você fica em estado de graça. Infelizmente, essa felicidade é muito breve. Bem depressa, as mensagens positivas voltam a se misturar com outras, ambíguas, e mais uma vez você se vê descendo a colina a toda a velocidade, naquela montanha-russa. Sua vida agora é um suspense, antecipando o próximo comentário ou gesto que irá lhe tranquilizar. Você começa a confundir com amor a preocupação, a obsessão, e aquelas brevíssimas lufadas de alegria. O que você realmente está fazendo é igualando à paixão um sistema de alarme de apego ativado.

Se você vem fazendo isso há algum tempo, você se tornou programado(a) para sentir atração exatamente por aqueles indivíduos que oferecem a menor probabilidade de lhe fazer feliz. Ter um sistema de apego eternamente ativado é o contrário do que a natureza tinha em mente para nós, em termos de amor gratificante. Como vimos, uma das descobertas mais importantes de Bowlby e de Ainsworth é que, para prosperar e crescer como seres humanos, precisamos de uma base segura de onde tirar força e conforto. Para que isso aconteça, nosso sistema de apego deve estar calmo e seguro.

Lembre-se: um sistema de apego ativado *não é* o mesmo que viver uma paixão. Da próxima vez que você sair com alguém e descobrir que está se sentindo ansioso(a), inseguro(a) e obsessivo(a) – só para se sentir eufórico(a) de vez em quando –, repita para você que, provavelmente, trata-se de um sistema de apego ativado, e não de *amor*! O amor verdadeiro, no sentido evolucionário, significa paz de espírito. "Águas paradas podem ser profundas." Esta é uma boa forma de caracterizá-lo.

---

### Se você é ansioso, não deve sair com um evitativo porque:

**Você:** quer proximidade e intimidade.

**Ele:** quer manter certa distância física e/ou emocional.

**Você:** é muito sensível a sinais de rejeição (sistema de apego vigilante).

**Ele:** envia sinais contraditórios que costumam ser interpretados como rejeição.

**Você:** acha difícil dizer a ele(a) diretamente o que você precisa e o que o(a) está incomodando (comunicação eficiente); em vez disso, usa comportamento de protesto.

**Ele:** não costuma conseguir interpretar os indícios verbais e não verbais que você dá e não acha que fazer essa leitura é responsabilidade dele.

**Você:** precisa ser tranquilizado(a) e se sentir amado(a).

**Ele:** tende a diminuir você para criar distância e desativar seus sistemas de apego.

**Você:** precisa saber exatamente em que pé está o relacionamento.

**Ele:** prefere manter as coisas mais difusas. Mesmo se o relacionamento é bem sério, algumas questões permanecerão.

## A LEI DOS GRANDES NÚMEROS — POR QUE É MAIS PROVÁVEL QUE VOCÊ CONHEÇA PESSOAS DO TIPO EVITATIVO QUANDO SAI PARA UM ENCONTRO

Há uma última razão para que você venha a encontrar e sair com um bom número de indivíduos evitativos. Examine os fatos a seguir.

- As pessoas com um estilo de apego evitativo tendem a terminar seus relacionamentos com mais frequência. Um estudo constatou que entre os indivíduos que começavam um novo casamento depois de um divórcio, os de estilo evitativo estavam mais propensos a um novo divórcio. Eles também suprimem emoções amorosas e, portanto, se "esquecem" de seus parceiros bem depressa. Por isso, podem voltar a sair com outras pessoas quase imediatamente. *Conclusão: pessoas com um estilo de apego evitativo estão desimpedidas com mais frequência e por maiores períodos de tempo.*

- Pessoas com um estilo seguro de apego em geral não passam por muitos parceiros antes de encontrarem aquele que as deixa felizes. Quando as coisas funcionam, formam um relacionamento comprometido e duradouro. *Conclusão: pessoas com um estilo de apego seguro levam muito tempo para reaparecer na cena, desimpedidas. Se é que isso volta a acontecer.*

- Estudos constataram que os de estilo evitativo são menos propensos a estar em um relacionamento com outros evitativos porque falta a cola emocional que os manteria juntos. De fato, um estudo que examinou casais não identificou sequer um único par evitativo-evitativo. *Conclusão: pessoas do tipo evitativo não namoram entre si; são mais propensas a sair com alguém com estilo de apego diferente.*

Agora vamos juntar as peças do quebra-cabeça.

Quando você conhece alguém, a probabilidade de que essa pessoa tenha um estilo evitativo é bem alta – bem mais alta do que o tamanho relativo da população de evitativos, que é de 25%. Eles não apenas voltam a ficar disponíveis mais rapidamente, como também não saem com pessoas com o mesmo estilo de apego (pelo menos não por muito tempo), nem saem com pessoas de estilo seguro (porque elas estão menos disponíveis). Com quem estão saindo os evitativos, então? Isso mesmo: com você e outros parceiros em potencial com o estilo ansioso.

## O QUE ACONTECE QUANDO VOCÊ CONHECE ALGUÉM SEGURO?

Digamos que você supere os obstáculos estatísticos e conheça alguém seguro. Você percebe que tropeçou em uma mina de ouro ou deixa passar? Há muitos anos, Rachel tentou juntar sua vizinha Chloe com seu conhecido Trevor – um sujeito (seguro) e tanto. Trevor, que cursava Medicina na época, procurava encontrar alguém depois que sua namorada o deixara após 10 anos de relacionamento. Ele havia ficado com ela dos 18 aos 28 anos. Ele não quis romper, embora ela sempre estivesse descontente. Por fim, ela o deixou. Trevor ficou triste por muito tempo, mas estava pronto para voltar a conhecer pessoas. Ele era muito bonito, tinha um senso de humor incrível e era um ótimo atleta. Determinado e estável, ele vinha de uma família culta e abastada. Todas as qualidades que você gostaria de encontrar em um parceiro, certo?

Não é bem assim. Chloe se encontrou com ele uma vez e ficou completamente desinteressada. Admitia que ele tinha uma ótima aparência, era mesmo atraente, mas "faltava uma faísca". Na época, Rachel ficou sem entender nada. Não compreendia por que Chloe o rejeitara.

Em retrospecto, podemos compreender: se você é ansiosa(o), o que acontece quando você conhece alguém do tipo seguro é o oposto do que ocorre quando conhece uma pessoa do tipo evitativo. As mensagens transmitidas pelo seguro são sinceras, diretas e consistentes. Os seguros não têm medo da intimidade e sabem que são dignos de amor. Não precisam fazer rodeios nem dificultar as coisas. Não há mensagens ambíguas, nem tensão ou suspense. Como resultado, seu sistema de apego permanece relativamente calmo. Se você está habituado(a) a confundir amor com um sistema de apego ativado, você chega à conclusão de que aquela não pode ser "a pessoa certa", já que você não está ouvindo sinos badalando. Você associa um sistema de alarme de apego tranquilo com tédio e indiferença. Por causa dessa falácia, talvez você deixe passar batido o seu parceiro perfeito.

Chloe teve que passar por terríveis dificuldades porque presumia que um sistema de apego ativado era um pré-requisito para o amor. Tony, que mais tarde se tornaria seu marido, parecia à primeira vista confiante e interessante, mas nunca perdia uma chance de jogá-la para baixo.

Por sorte, as histórias de Trevor e de Chloe tiveram final feliz. Trevor não ficou disponível por muito tempo. Pouco depois encontrou uma grande parceira e os dois estão juntos desde então. Viajaram pelo mundo, casaram-se e tiveram filhos. Ele é um pai e um marido maravilhoso. Chloe teve mais dificuldades, mas depois de anos de agonia com Tony, ela recuperou o prumo e aprendeu a apreciar a estabilidade e o amor de um parceiro seguro. Divorciou-se e mais tarde encontrou Bruce, tão amoroso e cuidadoso quanto Trevor.

Qualquer um pode ter um final feliz assim. Não está apenas nas mãos do acaso. O truque é não se viciar nos altos e baixos e confundir um sistema de apego ativado com paixão ou amor. Não deixe que a indisponibilidade seja aquilo que lhe desperta atração.

### Se você é do tipo ansioso, *deveria* estar saindo com alguém do tipo seguro porque:

| | |
|---|---|
| **Você:** quer proximidade e intimidade. | **Ele:** sente-se confortável com a proximidade e não tenta afastar você. |
| **Você:** é muito sensível a qualquer sinal de rejeição (sistema de apego vigilante). | **Ele:** é muito consistente e confiável. Não vai mandar mensagens contraditórias que deixarão você transtornado. Se você ficar perturbado, o outro saberá como tranquilizá-lo. |
| **Você:** acha difícil falar diretamente o que precisa e dizer o que incomoda (comunicação efetiva); em vez disso, utiliza o comportamento de protesto. | **Ele:** considera seu bem-estar como uma das maiores prioridades e faz o possível para ler seus sinais verbais e não verbais. |
| **Você:** precisa ser tranquilizado(a) e se sentir amado(a). | **Ele:** sente-se confortável revelando seus sentimentos logo no início, de uma forma consistente. |
| **Você:** precisa saber exatamente a quantas anda o relacionamento. | **Ele:** é muito estável. Também se sente confortável diante do compromisso. |

## O QUE ACONTECE QUANDO VOCÊ SEGUE CONSELHOS COMUNS SOBRE NAMORO?

Digamos que você tenha decidido seguir os conselhos de muitos livros populares sobre relacionamento. Neles, você encontra orientações para "arranjar" um parceiro, tais como "Não fique disponível demais", "Diga que está ocupado mesmo se não estiver", "Não ligue para ele – espere que ele ligue para você", "Não aparente se importar demais, aja de modo misterioso". Supostamente, desse modo você preserva a sua dignidade e a sua independência, conquistando assim o respeito do outro. Mas a verdade é que o que você está fazendo é se comportar de uma forma que não é fiel às suas necessidades e aos seus sentimentos mais genuínos. Você despreza o outro para parecer forte e autossuficiente. E, de fato, esses livros e os conselhos que dispensam estão *corretos*: esses comportamentos podem realmente fazer com que você pareça mais atraente. O que eles não mencionam, por ignorar a teoria do apego, é que farão você se tornar mais atraente para um tipo bem particular de parceiro – o evitativo. Por quê? Porque o que estão defendendo é, em essência, que você ignore suas necessidades e permita que o outro determine o nível de proximidade/distância no relacionamento. O tipo evitativo vai viver no melhor de dois mundos – ele pode desfrutar da emoção e da proximidade que você projeta naturalmente quando os dois estão juntos sem levar em consideração suas necessidades de intimidade e de união quando não está com ele. Ao agir como alguém que você não é, você está permitindo que o outro fique com você nos termos dele, indo e vindo conforme deseje.

O problema é que se esse tipo de jogo é apenas uma encenação para você. A longo prazo, o tiro vai sair pela culatra. Primeiro, o tipo evitativo vai perceber depressa o que você está fazendo – são ótimos em detectar pessoas que desejam cercear sua autonomia. Em segundo lugar, você vai acabar pensando que chegou a hora de mostrar como você realmente é. Afinal de contas, o que deseja mesmo é alcançar um alto nível de intimidade, passar muito tempo de qualidade junto do outro e baixar a guarda. Porém, você vai descobrir que, quando isso acontece, seu parceiro evitativo de repente dá para trás e começa a se afastar. De um jeito ou de outro, quem perde é você, porque está atraindo o *tipo errado de parceiro*.

## Uma sessão de coaching para o estilo de apego ansioso em um encontro

**1. Reconheça e aceite o que realmente precisa em um relacionamento.**

Recomendamos, por acaso, que você seja o único a correr atrás, a realizar cada desejo do parceiro e a telefonar de modo incessante? Absolutamente não! Sugerimos uma abordagem completamente diferente. Ela deriva da compreensão de que você – em função do seu estilo de apego ansioso – tem certas necessidades claras em um relacionamento. Se elas não forem supridas, você não consegue ser verdadeiramente feliz. A chave para encontrar alguém capaz de suprir essas necessidades é, em primeiro lugar, reconhecer por completo que você precisa de intimidade, disponibilidade e segurança em um relacionamento – e acreditar que tudo isso é legítimo. Não são necessidades boas ou ruins – são simplesmente as suas. Não deixe que as pessoas façam você se sentir culpado(a) por agir de um modo "carente" ou "dependente". Não se envergonhe de se sentir incompleto(a) quando não estiver em um relacionamento, nem por desejar estar próximo do outro e de depender dele.

Em seguida, use esse conhecimento. Comece a avaliar as pessoas com quem você sai com base na capacidade de suprir suas necessidades. Em vez de pensar em como *você* poderia mudar para agradar o outro, como tantos livros de relacionamento aconselham, pense: esta pessoa é capaz de fornecer o que *eu* preciso para ser feliz?

**2. Reconheça e elimine os pretendentes evitativos logo no início.**

O segundo passo é reconhecer e eliminar logo no início aqueles com o estilo de apego evitativo. É aí que nosso questionário para decifrar o estilo dos outros se torna bem útil. Mas existem muitas outras formas de saber se conheceu alguém do tipo evitativo. Arthur Conan Doyle cunhou o termo *smoking gun* [cano fumegante] em um de seus romances com o detetive Sherlock Holmes. Desde então, o termo passou a ser usado para designar um objeto ou fato que serve como evidência conclusiva, não apenas para um crime mas para qualquer tipo de prova incontestável. Gostamos de chamar de "armas fumegantes" qualquer sinal ou mensagem altamente indicativo de evitação.

## Armas fumegantes que indicam que você está saindo com alguém do tipo evitativo

- **Envia mensagens contraditórias** – sobre seus sentimentos ou seu comprometimento em relação a você.
- **Anseia por um relacionamento ideal** – *mas* dá sinais sutis de que ele não será com você.
- **Quer desesperadamente encontrar "a pessoa certa"** – *mas*, de algum modo, sempre encontra problemas no outro ou nas circunstâncias, o que torna impossível o compromisso.
- **Desconsidera seu bem-estar emocional** – e quando confrontado(a), continua a desconsiderar.
- **Sugere que você é "carente demais", "sensível" ou que está "exagerando"** – desvalorizando assim seus sentimentos e abalando sua autoestima.
- **Ignora tudo o que você diz e que não é conveniente para ele(a)** – não reage ou muda de assunto.
- **Trata das suas preocupações como se estivesse em um "tribunal"** – reage aos *fatos* sem levar em conta *seus sentimentos*.
- **Suas mensagens não são compreendidas** – apesar de todo o seu esforço para comunicar suas necessidades, ele(a) não parece entendê-las, ou simplesmente as ignora.

Repare que não são comportamentos específicos que correm o risco de virar armas fumegantes, mas sim uma postura emocional – uma ambiguidade sobre o relacionamento que caminha lado a lado com uma forte mensagem de que suas necessidades emocionais não são tão importantes assim para o outro. Ele(a) pode dizer as coisas certas de vez em quando, mas seus atos dizem algo totalmente diferente.

Como veremos na próxima seção, a comunicação efetiva é uma ferramenta excelente para neutralizar essas armas fumegantes.

**3. Um novo modo de ir aos encontros. Seja autêntico e use a comunicação efetiva.**

O passo seguinte é começar a *expressar* suas necessidades. A maioria dos ansiosos cai facilmente na armadilha que os livros sobre relacionamento – e que a sociedade, de modo geral – criaram para eles. Eles sentem que são exigentes demais, carentes, e por isso tentam se adaptar às necessidades do parceiro que quer distância e limites (se estão envolvidos com alguém do tipo evitativo). É simplesmente mais aceitável, do ponto de vista social, manter uma fachada autossuficiente, indiferente. Assim, eles ocultam seus desejos e mascaram o descontentamento. Na realidade, agindo assim, você perde uma oportunidade porque, ao exprimir essas necessidades, você acertaria duplamente. Em primeiro lugar, manifestar nossa essência autêntica contribui para nossa sensação geral de felicidade e realização, como foi constatado; e ser feliz e realizado é provavelmente uma das características mais atraentes a se oferecer a um parceiro. Em segundo lugar, e não menos importante, ao assumir sua versão mais autêntica você descobrirá logo de início se o outro for incapaz de atender suas necessidades genuínas. Nem todo mundo tem necessidades compatíveis com as suas, e não há problema nisso. Que encontrem alguém que *deseje* manter distância; assim você pode ir em busca de alguém que lhe fará feliz.

O que queremos dizer com "assumir sua versão mais autêntica" ou "exprimir suas necessidades"? Janet, paciente de Amir, pode ilustrar muito bem esse ponto. Aos 28 anos, estava saindo com Brian por mais de um ano quando ele resolveu terminar o relacionamento. Não estava pronto para algo mais sério e precisava de espaço. Janet ficou absolutamente arrasada e por muitos meses não conseguiu tirá-lo da cabeça.

Nem pensava na hipótese de sair com outra pessoa, pois sentia-se ainda muito ligada a ele. Seis meses depois, como se em resposta às suas orações, Brian ligou e quis reatar o relacionamento. Claro que Janet ficou em estado de graça. Algumas semanas depois desse reencontro, Amir perguntou como estavam as coisas. Ela respondeu que os dois estavam indo bem devagar e que ela estava seguindo o ritmo dele, como havia acontecido no passado. Sabia que ele tinha medo de compromissos e não queria assustá-lo de novo.

Amir foi enfático ao sugerir que, em vez de repetir o mesmo padrão estabelecido por Brian da primeira vez, ela deixasse seus desejos absolutamente claros. Afinal de contas, ele a havia procurado e tinha de provar que mudara e que era digno de seu amor. Amir sugeriu que ela deixasse tudo bem claro, dizendo, por exemplo: "Eu amo muito você. Preciso saber que posso contar com você ao meu lado o tempo todo, que posso conversar com você sempre que quiser e não apenas quando for conveniente para você. Não quero esconder meu desejo de ficar ao seu lado por medo de que você se afaste."

Mas Janet acreditava que, se resistisse o suficiente, dando a ele espaço e muito tempo, ele aprenderia a apreciá-la. Pensava que se bancasse ser indiferente e segura, ele se sentiria mais atraído por ela. Talvez não seja surpreendente que o relacionamento de Janet com Brian tenha se deteriorado lentamente até perder todo o gás. Ele passou a ligar cada vez menos, continuou a fazer o que queria sem levar em conta o bem-estar dela e acabou desaparecendo sem que os dois tivessem uma conversa de rompimento. Se Janet tivesse deixado sua versão mais autêntica se manifestar e usasse a comunicação efetiva para dar voz a seus sentimentos e suas necessidades, ela teria encerrado essa triste provação bem mais cedo, sabendo que tinha feito todo o esforço possível, mas Brian era simplesmente incapaz de dar o que ela precisava. Ou então ele teria compreendido desde o primeiro dia que, se quisesse mesmo voltar, precisaria fazer jus à oportunidade e levar em conta as necessidades de Janet. Ele saberia exatamente o que era esperado dele sem ter que adivinhar.

(Para mais informações sobre como dar voz ao seu eu mais autêntico por meio da comunicação efetiva, veja o capítulo 11.)

## 4. A filosofia da abundância.

Como discutimos antes neste capítulo, existe um número desproporcional de pessoas com estilo evitativo em circulação, desimpedidas. Outro passo útil para lidar com a oferta é o que chamamos de *filosofia da abundância* (ou "muito peixe no mar") – compreender que existem muitos indivíduos singulares e maravilhosos por aí que podem ser ótimos companheiros para você. Tente dar chance a diversas pessoas, sem se fixar em alguém determinado logo no início, mantendo distância daqueles que podem potencialmente ser armas fumegantes.

Isso exige uma mudança radical na sua forma de pensar ansiosa. Você tende a presumir que é improvável conhecer alguém adequado, mas não precisa ser assim. Existem muitas pessoas encantadoras, inteligentes por aí, capazes de fazê-lo(a) feliz, mas também existem muitas que não servem para você. A única forma de garantir que você vai encontrar suas possíveis almas gêmeas é saindo com muita gente. É a lei da probabilidade, pura e simples: quanto mais gente conhecer, maiores as chances de encontrar alguém que seja bom para você.

Mas isso vai além de uma simples questão de probabilidade. Se você tem um estilo ansioso, então tende a se apegar bem depressa, até mesmo em função apenas de uma atração física. Uma noite de sexo ou um beijo intenso e pronto, você já não consegue tirar aquela pessoa da cabeça. Como sabe, assim que o sistema de apego é ativado, você começa a ansiar pela proximidade e passa a fazer qualquer coisa ao seu alcance para que a relação funcione, *mesmo antes de realmente conhecer a pessoa e decidir se gosta ou não dela*! Se só estiver saindo com essa pessoa, você acaba perdendo logo no início sua capacidade de julgar se se trata de alguém de fato adequado para você.

Ao usar a filosofia da abundância, você mantém a capacidade de avaliar os parceiros em potencial de um modo mais objetivo. O que está fazendo na verdade é dessensibilizando seu sistema de apego e fazendo com que ele seja mais tranquilo para você. Seu sistema não será mais ativado tão facilmente por uma pessoa porque ele estará ocupado avaliando a disponibilidade de muita gente diferente. Será menos provável que você se deixe obcecar por alguém em particular. Você poderá eliminar depressa uma pessoa que faz você se sentir inseguro(a) ou inadequado(a) porque ainda não depositou suas esperanças nela. Por que desperdiçaria tempo com alguém que não é delicado(a) com você quando existe uma fila de parceiros em potencial que tratam você como membro da realeza?

Ao sair com diversas pessoas ao mesmo tempo – o que se tornou factível na era da internet e do Facebook –, fica mais fácil deixar claros os seus desejos e as suas necessidades. Você não receia que, ao agir assim, venha a espantar um raro candidato. Não precisa pisar em ovos nem esconder seus sentimentos. Isso permite que você veja se aquela pessoa é capaz de satisfazer suas necessidades *antes* de chegar a um ponto de onde não há mais volta.

Nicky, de 31 anos, foi um caso extremo em que tal abordagem para os encontros funcionou como um passe de mágica. Nicky era atraente, sociável e perspicaz, porém raramente passava dos primeiros dias ou semanas de um relacionamento. Tinha um estilo de apego altamente ansioso. Ansiava pela intimidade e pela proximidade, mas estava tão convencida de que nunca encontraria alguém que a solidão se tornara um desfecho inevitável.

Em situações românticas, ela era muito sensível e se magoava com facilidade. Agia de modo defensivo, sem retornar os telefonemas e permanecendo em silêncio (comportamento de protesto) até que o relacionamento chegava a um beco sem saída. Depois, ela se atormentava examinando tudo seguidas vezes na mente (estratégia de ativação). Para ela, era muito difícil desapegar e partir para outra. Além disso, ao se manter em silêncio, sem fazer contato, Nicky parecia atrair uma série de homens evitativos que se sentiam bem à vontade com a falta de comunicação. Mas Nicky não estava feliz.

Por fim, acatando nossa sugestão, ela disse a todos os amigos para ficar de olhos abertos para possíveis pretendentes e também se registrou em diversos serviços de namoro na internet. Começou a conhecer muita gente, aumentando assim as chances de encontrar o homem certo – um homem seguro. Ao sair com muitos e não se dar o tempo para ficar ansiosa demais em relação a um candidato em particular, houve uma mudança na sua atitude. Anteriormente, encarava todos os homens que conhecia e de quem gostava (e ela era exigente) como sendo sua última chance para a felicidade. Agora, porém, havia muitos pretendentes. Não significa que ela tenha deixado de ter decepções. Alguns homens não passaram sequer do primeiro encontro, por um motivo ou outro. O que mudou, no entanto, foram seus padrões de pensamento ansiosos – seu modelo para os relacionamentos.

- Nicky obteve evidências concretas de que muitos a achavam atraente, mesmo se não se mostravam como par perfeito. Assim, ela parou de interpretar os encontros malsucedidos como um sinal de que ela tinha problemas profundos. Sua autoconfiança se ampliou muito e isso ficou evidente.
- Quando alguém por quem ela se interessava acabava se afastando ou agindo como evitativo, ela achava mais fácil seguir em frente sem perder seu tempo precioso. Conseguia dizer para si mesma: "Esse cara não serve para mim, mas o próximo talvez sirva."
- Quando encontrou alguém de quem realmente gostou, ela ficou menos obcecada por ele e não recorreu tanto ao comportamento de protesto. Desapareceram de cena (ou pelo menos foram bastante atenuados) a hipersensibilidade e o comportamento defensivo que a levavam a agir de forma autodestrutiva.

Um ano depois de iniciar esse novo experimento com encontros, ela conheceu George. Ele era caloroso, amoroso e a adorava. Ela permitiu a si mesma abrir-se e ser vulnerável diante dele. Hoje em dia, ela costuma fazer piadas dizendo que, por uma estranha virada do destino (embora saiba muito bem ter tido parte ativa para que a virada acontecesse), entre seus amigos – muitos deles com relacionamentos longos iniciados ainda na faculdade –, foi ela quem acabou conquistando o relacionamento mais feliz e mais seguro de todos!

**5. Dê uma chance para os seguros.**

A filosofia da abundância, contudo, perde sua eficácia se você deixar de reconhecer o bilhete premiado quando estiver em suas mãos. Assim que identificar que alguém que você conheceu é seguro, lembre-se de não decidir de forma impulsiva se ele serve ou não para você. Não esqueça de que talvez você se sinta entediado(a) a princípio – afinal de contas, esses encontros são menos emocionantes do que quando seu sistema de apego é ativado. Dê um tempo. Se você é do tipo ansioso, é provável que interprete automaticamente a calma no relacionamento como falta de atração. Não é fácil se desfazer de um hábito de tantos anos. Mas, se você resistir um pouco mais, talvez comece a apreciar um sistema de apego calmo e todas as vantagens que ele oferece.

---

### Cuidado: estereótipos do apego

Ao dividir os comportamentos do apego pelo gênero, caímos na armadilha comum de igualar o comportamento evitativo à masculinidade. As pesquisas, porém, demonstram que existem muitos homens que estão longe de ser evitativos – eles se comunicam livremente, são amorosos e afetuosos, não recuam durante os conflitos e estão ao lado do outro de forma consistente (em outras palavras, são seguros). Outra visão equivocada é associar o estilo de apego ansioso à feminilidade quando, na verdade, a maioria das mulheres é segura, ao passo que existem muitos homens com apego ansioso. Porém, é importante ter em mente que também existem mulheres que correspondem à descrição dos evitativos. Quando se trata de apego e gênero, o mais importante para lembrar é que a maioria da população – tanto masculina quanto feminina – é segura.

---

## Uma palavra final

Uma palavra final para você que é do estilo ansioso. Não há ninguém para quem a teoria do apego tenha mais a oferecer do que homens e mulheres com estilo de apego ansioso. Embora você sofra as consequências de uma escolha infeliz e de um sistema de apego ativado com mais intensidade, você também é quem mais ganha a partir da compreensão do funcionamento do sistema de apego, dos tipos de relacionamento capazes de lhe proporcionar felicidade e das situações que acabam com seu sistema nervoso. Testemunhamos pessoas que conseguiram se esquivar da solidão e encontrar a companhia tão desejada a partir da utilização dos princípios delineados neste capítulo. Testemunhamos também pessoas que estavam em relacionamentos longos que despertavam o que tinham de pior, mas que, ao compreenderem e utilizarem os princípios do apego, deram início a uma nova fase – uma fase mais segura.

# 6

## *Mantendo o amor a distância:*
## *o estilo de apego evitativo*

### O VIAJANTE SOLITÁRIO

A maioria de nós se fascina com pessoas que partem sozinhas mundo afora, sem obstáculos nem obrigações, sem se ocupar em considerar ou cuidar das necessidades dos outros. Desde personagens fantasiosos como Forrest Gump até pioneiros da vida real como Dian Fossey, esses viajantes solitários costumam ter princípios sólidos e motivações ideológicas.

Em *Na natureza selvagem*, best-seller de Jon Krakauer, Chris McCandless, estudante e atleta brilhante com pouco mais de 20 anos, deixa para trás sua vida comum e se dirige a uma região selvagem no Alasca. Viajando sozinho com o mínimo de equipamento necessário, Chris avança em direção ao Alasca com o objetivo de viver da terra sem a ajuda de outros seres humanos. Durante sua jornada, Chris se relaciona com pessoas que querem que ele faça parte de suas vidas, inclusive com um homem idoso que se propõe a adotá-lo, uma jovem que se apaixona por ele e um casal que o convida para morar com eles. Chris, no entanto, está determinado a conseguir viver sozinho.

Antes de chegar a seu destino final, Chris tem uma derradeira interação humana, com um homem chamado Gallien que lhe dá uma carona.

> *Durante a viagem para o sul, rumo às montanhas, Gallien tentara repetidas vezes dissuadir Alex [pseudônimo de Chris] de seguir com seu plano, inutilmente. Chegou a se oferecer para levar Alex de carro até Anchorage para que ele pudesse, no mínimo, comprar um equipamento decente para o garoto. "Não. Mesmo assim, obrigado", respondeu Alex. "Vou ficar bem com o que tenho." Quando Gallien perguntou se seus pais ou alguém sabia o que ele estava prestes a fazer – qualquer um que pudesse fazer soar o alarme se ele arranjasse problemas e estivesse se demorando –, Alex então respondeu com calma que não, ninguém sabia de seus planos, que na verdade ele não falava com ninguém da sua família fazia quase três anos. "Estou absolutamente convencido", respondeu para Gallien, "de que não vou encontrar nada com que eu não consiga lidar sozinho."*

Depois de se separar de Gallien, Chris cruza um rio gelado e se embrenha no mato até ficar completamente isolado do mundo exterior. Durante vários meses, consegue viver sozinho, caçando e coletando seu alimento. Na primavera seguinte, porém, quando tenta voltar para casa, ele descobre que o rio está caudaloso por conta das chuvas e da neve derretida, e a corrente é tão forte que ele não consegue atravessar para voltar à civilização. Sem outra opção, Chris retorna a seu acampamento-base, onde acaba morrendo. Em seus últimos dias de vida, ele faz o seguinte registro em seu diário: "A felicidade só é real quando compartilhada."

Do ponto de vista metafórico, encaramos as pessoas com apego evitativo como se fossem viajantes solitários na jornada da vida e dos relacionamentos. Como Chris, elas idealizam uma vida de autossuficiência e desprezam a dependência. Se você tem um estilo de apego evitativo, a lição que Chris aprendeu no fim da vida – que as experiências só se tornam significativas se forem compartilhadas com os outros – é a chave da *sua* felicidade também.

Neste capítulo, examinamos as formas com que você, o viajante solitário, consegue manter a distância mesmo quando está com alguém que você ama. Ajudamos você a ter uma nova percepção sobre o que motiva seu comportamento nos relacionamentos e sobre a forma como esse comportamento está impedindo que você encontre a verdadeira felicidade nas suas ligações românticas. Se pertence aos outros três quartos da população, é provável que conheça alguém do tipo evitativo – ou que talvez se envolva com ele. Este capítulo ajudará você compreender por que agem assim.

## O amor não pode ser comprado por uma vantagem para a sobrevivência

Acredita-se que cada estilo de apego evoluiu para aumentar as chances de sobrevivência dos humanos em determinado ambiente. O estilo seguro funcionou melhor porque durante toda a história nossos ancestrais viveram predominantemente em grupos muito coesos nos quais o trabalho coletivo era de longe a melhor forma de garantir o futuro de seus integrantes e de seus descendentes. Para garantir a sobrevivência da espécie sob qualquer condição que pudesse aparecer, porém, mais de uma estratégia foi necessária. Para aqueles nascidos em ambientes hostis, em que muitas pessoas pereciam de fome, doença ou de desastres naturais, habilidades diferentes daquelas colaborativas ganharam importância. Aqueles indivíduos capazes de se distanciarem e de serem autossuficientes eram os mais bem-sucedidos ao competir por recursos limitados em ambientes extremos, e assim uma parte da população herdou um estilo de apego evitativo.

Infelizmente, essa vantagem para a sobrevivência na corrida humana não se traduz necessariamente como uma vantagem para o indivíduo evitativo. Chris McCandless talvez ainda estivesse vivo caso tivesse se disposto a colaborar com os outros. De fato, estudos mostram que, se você tem um estilo de apego evitativo, você tende a ser menos feliz e satisfeito nos seus relacionamentos.

> A boa notícia é que não precisa ser assim: você não precisa ser um escravo das forças evolucionárias. Você pode aprender o que não lhe vem naturalmente e aprimorar suas chances de desenvolver um relacionamento gratificante.

## Voo solo?

É importante lembrar que o estilo de apego evitativo sempre se manifesta. Ele determina, em grande medida, o que você espera dos relacionamentos, como interpreta as situações amorosas e como se comporta com a pessoa com quem está saindo ou dividindo sua vida. Esteja você solteiro(a) ou em um relacionamento, até mesmo em um relacionamento sério, você está sempre fazendo manobras para manter as pessoas a distância.

Susan, que tem um estilo de apego evitativo, descreve-se como um espírito livre. Envolve-se com os homens – às vezes por mais de um ano –, mas acaba se cansando deles, parte para a próxima conquista e menciona, em tom de brincadeira, o "rastro de corações partidos" que deixa para trás. Ela considera a necessidade como uma fraqueza e despreza pessoas que se tornam dependentes do outro, referindo-se a tais situações de forma zombeteira como "tempo na prisão".

Será que Susan e outros com o estilo evitativo são simplesmente desprovidos da necessidade de estabelecer vínculos significativos com alguém especial? E, se isso é verdade, será que não contradiz a premissa básica da teoria do apego – que diz que é universal a necessidade de manter proximidade física e emocional de um cônjuge ou amante?

Responder a essas perguntas não é uma tarefa fácil. Pessoas com um estilo evitativo não são exatamente um livro aberto e tendem a reprimir suas emoções, em vez de expressá-las. É aí que os estudos sobre o apego vêm a calhar. Sofisticados métodos de pesquisa conseguem ir além dos motivos conscientes das pessoas e têm sucesso onde a comunicação direta fracassa para desvendar o modo de pensar evitativo. As experiências que descrevemos a seguir são particularmente reveladoras.

\*\*\*

Seis estudos independentes examinaram quanto as questões do apego estão acessíveis aos evitativos. Isso foi feito ao medir o tempo que levava para que os participantes informassem as palavras que piscavam rapidamente em um monitor. Esses testes operaram a partir de uma premissa bem estabelecida segundo a qual a velocidade em que você relata determinada palavra é um indicativo de quão acessível esse tema é na sua mente. Os pesquisadores descobriram que pessoas do tipo evitativo são mais rápidas do que as outras para captar palavras como "necessidade" e "enredado", relacionadas com o que consideram ser características negativas no comportamento do outro. São mais lentas, porém, em reconhecer palavras como "separação", "briga" e "perda" associadas às suas próprias preocupações de apego. Ao que parece, são rápidas em pensar negativamente sobre os parceiros, considerando-os carentes ou excessivamente dependentes – um elemento importante em sua visão de relacionamentos –, mas ignoram os próprios medos e necessidades. Aparentemente, desprezam os outros quando demonstram carência e são imunes a essas necessidades. Mas será que isso é realmente verdade?

Na segunda parte desses estudos, os pesquisadores distraíram as pessoas com estilo evitativo dando a elas outra tarefa para executar – como resolver uma charada ou responder a outros sinais – enquanto a tarefa de reconhecimento de palavras se desenrolava. Nessas situações, elas reagiam às palavras relacionadas a suas preocupações de apego ("separação", "perda", "morte") tão rapidamente quanto qualquer outra pessoa. Distraídas por outra tarefa, sua capacidade de reprimir seus verdadeiros sentimentos e preocupações sobre o apego vinham à tona.

Os experimentos demonstram que, embora você possa ser do tipo evitativo, o "mecanismo" de apego continua no lugar – deixando você tão vulnerável quanto os outros às ameaças de separação. No entanto, esses sentimentos e emoções afloram apenas quando sua energia mental precisa ser empregada em outra direção e você é pego no contrapé.

Esses estudos também nos dizem que evitativos como Susan não são espíritos livres coisa alguma. Trata-se de uma postura defensiva que adotam e que os faz *parecer* assim. No relato de Susan, repare como ela faz questão de menosprezar quem depende da sua cara-metade. Outros estudos descobriram que, quando enfrentam um evento difícil da vida, como o divórcio, o nascimento de um filho com sérias deficiências ou um trauma de guerra, as defesas dos evitativos são derrubadas depressa e eles então se comportam exatamente como pessoas que têm estilo de apego ansioso.

### Juntos mas distantes – a solução que não satisfaz ninguém

Então como as pessoas com um estilo evitativo suprimem suas necessidades de apego e mantêm distância nos relacionamentos? Vamos examinar mais de perto as variadas técnicas utilizadas para se distanciar da pessoa mais próxima – desde as estratégias de desativação até percepções e crenças abrangentes.

- **Mike, 27 anos,** passou os últimos cinco anos com alguém que ele não considera à sua altura do ponto de vista intelectual. Eles se amam muito, mas há sempre uma insatisfação na mente de Mike sobre a relação. Ele tem um sentimento persistente de que falta algo e de que alguém melhor pode estar por perto.
- **Kaia, 31 anos,** vive com o namorado com quem se relaciona há dois anos, mas ainda se lembra da liberdade de que desfrutava quando estava solteira. Parece ter se esquecido de que, na realidade, ficava muito solitária e deprimida quando estava por conta própria.
- **Stavros, 40,** empresário atraente e elegante, quer desesperadamente casar e ter filhos. Sabe exatamente o que procura em uma esposa. Ela precisa ser jovem – não mais de 28 anos –, bonita, com objetivos profissionais e, não menos importante, deve estar disposta a se mudar para a cidade natal dele, na Grécia. Depois de mais de 10 anos de buscas, ele ainda não a encontrou.
- **Tom, 49 anos,** casado por décadas com uma mulher que ele ado-

rava no passado, agora se sente encurralado e aproveita todas as oportunidades possíveis para fazer coisas sozinho – seja viajar ou frequentar eventos com os amigos.

Todas essas pessoas têm uma coisa em comum: um estilo de apego evitativo. Têm um senso de solidão enraizado, que as acompanha mesmo quando estão em um relacionamento. Enquanto pessoas com um estilo seguro têm facilidade em aceitar seus parceiros, com defeitos e tudo, em depender deles e em acreditar que são especiais e únicos, para os evitativos, tal postura é um dos grandes desafios da vida. Se esse é seu estilo, você estabelece um vínculo com o parceiro amoroso, mas sempre mantém alguma distância mental ou uma rota de fuga. Sentir-se próximo e completo ao lado de alguém – o equivalente emocional a encontrar um lar – é uma condição que você acha difícil de aceitar.

## Estratégias de desativação – suas ferramentas diárias para manter o parceiro a um braço de distância (ou mais)

Embora Mike, Kaia, Stavros e Tom utilizem métodos diferentes para se distanciar dos parceiros, eles estão empregando técnicas conhecidas como *estratégias de desativação*. Uma estratégia de desativação é qualquer comportamento ou pensamento usado para acabar com a intimidade. Essas estratégias suprimem nosso sistema de apego, o mecanismo biológico em nosso cérebro responsável pelo desejo de buscar proximidade junto a um parceiro preferido. Lembram-se do experimento em que os pesquisadores demonstraram que os evitativos têm a necessidade de proximidade em um relacionamento mas fazem um esforço concentrado para reprimi-la? As estratégias de desativação são as ferramentas empregadas para suprimir essas necessidades no dia a dia.

Examine a seguir a lista de estratégias de desativação com todo o cuidado. Quanto mais você empregar essas ferramentas, mais sozinho(a) se sentirá e menos feliz será no relacionamento.

## Algumas estratégias comuns de desativação

- Dizer (ou pensar) "Eu ainda não estou pronto(a) para assumir compromisso", mas permanecer no relacionamento mesmo assim, muitas vezes durante anos.

- Concentrar-se em pequenas imperfeições no outro: no modo como conversa, se veste, come ou [preencha a lacuna] e permitir que isso interfira nos seus sentimentos amorosos.

- Consumir-se pensando em um ex-namorado/namorada (o "ex fantasma" – falaremos sobre isso mais adiante).

- Flertar com terceiros – uma forma dolorosa de introduzir a insegurança em um relacionamento.

- Não dizer "Eu te amo" – embora deixe implícito que tem sentimentos pela outra pessoa.

- Afastar-se quando as coisas estão indo bem (por exemplo, passar muitos dias sem telefonar depois de um encontro íntimo).

- Estabelecer relacionamentos sem um futuro possível, como por exemplo com alguém que é casado.

- "Desligar-se mentalmente" quando o(a) parceiro(a) está falando com você.

- Guardar segredos e deixar as coisas nebulosas – para manter sua sensação de independência.

- Evitar a proximidade física – por exemplo, não querer dividir a mesma cama, não querer sexo, caminhar vários passos à frente do(a) parceiro(a).

Se você é do tipo evitativo, essas pequenas estratégias de desativação diárias são as ferramentas utilizadas inconscientemente para garantir que a pessoa que você ama (ou amará) não atrapalhará a sua autonomia. Mas no final das contas, são essas ferramentas que estão atrapalhando *você*, impedindo-o de ser feliz no relacionamento.

Usar apenas estratégias de desativação não basta para manter o apego sob controle – são apenas a ponta do iceberg. Como evitativo, sua mente é governada por percepções e crenças abrangentes sobre relacionamentos, o que garante um distanciamento do parceiro e cria um obstáculo para a sua felicidade.

## Padrões de pensamento que deixam você numa fria

Como evitativo, você percebe os comportamentos de seu parceiro de uma maneira diferente daquela como pessoas com outros estilos de apego percebem, e, na maior parte do tempo, não tem a mínima consciência desse padrão de pensamento tão pouco construtivo.

### *Confundir independência com autossuficiência*

**Joe, 29:** "Quando eu estava crescendo, meu pai me dizia constantemente para não contar com ninguém. Repetia tanto, que isso se tornou um mantra na minha cabeça: 'Você só pode contar com você mesmo!' Nunca contestei esta verdade até entrar na terapia. 'Relacionamentos? Quem precisa deles?', perguntei ao terapeuta. 'Por que eu desperdiçaria meu tempo com alguém quando só posso contar comigo mesmo?' O terapeuta abriu meus olhos. 'Isto é uma bobagem!', afirmou ele. 'Claro que pode contar... e deve contar... com outras pessoas. E faz isso o tempo todo. Todos nós fazemos.' Foi um daqueles momentos de revelação. Eu compreendi que ele tinha razão. Que imenso alívio foi abandonar uma ideia tão obsessiva que me afastava do resto do mundo."

A crença de Joe na autossuficiência – e sua experiência de solidão por causa dela – não é exclusividade dele. Estudos demonstram que ela tem um vínculo próximo com um baixo grau de conforto com a intimidade e a proximidade. Embora indivíduos evitativos tenham uma grande confiança de que não precisam de mais ninguém, a convicção vem com um preço: eles obtiveram a pontuação mais baixa em todas as medições de proximidade em relacionamentos. Mostraram-se menos dispostos a revelar seus sentimentos, menos confortáveis com a intimidade e também menos propensos a procurar a ajuda dos outros.

Como fica evidente no relato de Joe, uma forte crença na autossuficiência pode acabar sendo mais um fardo do que uma vantagem. Nos relacionamentos românticos, ela reduz a capacidade de se aproximar, de compartilhar informações íntimas e de estar sintonizado com o parceiro. Muitas pessoas do tipo evitativo confundem autossuficiência com independência. Apesar de ser importante para todos nós termos condições de nos manter de pé com a nossa própria força, se superestimamos a autossuficiência, diminuímos a importância de obter o apoio dos outros, interrompendo nosso acesso a uma rede de segurança fundamental.

Outro problema com a autossuficiência é a parte que diz "auto". Ela obriga você a ignorar as necessidades de seu parceiro e faz com que se concentre apenas nas próprias necessidades, levando os dois a perderem uma das mais compensadoras experiências humanas: sentir a alegria de fazer parte de algo maior do que si mesmo.

## *Ver o bicho em vez de ver a maçã*

Outro padrão de pensamento incapacitante, que faz você deixar o parceiro afastado é "ver o bicho da maçã em vez de ver a maçã". Carole estava com Bob havia nove meses e vinha se sentindo cada vez mais infeliz. Sentia que Bob era o sujeito errado e enumerava um milhão de razões: não estava à sua altura do ponto de vista intelectual, faltava-lhe sofisticação, era carente demais e ela não gostava do modo como ele se vestia nem como interagia com as pessoas. No entanto, ao mesmo tempo, havia uma ternura nele que ela nunca experimentara com outro homem. Ele fazia com que ela se sentisse segura e aceita, cobria-lhe de presentes e tinha uma paciência infinita para lidar com seus silêncios, humores e desdém. Apesar de tudo isso, Carole estava convicta da necessidade de deixar Bob. "Não vai dar certo", dizia ela muitas vezes. Por fim, rompeu o relacionamento. Meses depois, ficou surpresa ao descobrir como as coisas estavam difíceis sem ele. Solitária, deprimida e com o coração partido, ela sofreu a perda do relacionamento, considerando-o o melhor que ela tivera até então.

A experiência de Carole é típica de pessoas com estilo de apego evitativo. Tendem a ver o copo meio vazio, em vez de meio cheio, quando se trata do parceiro. De fato, em um estudo, Mario Mikulincer, reitor da Nova Escola de Psicologia no Centro Interdisciplinar em Israel, juntamente com os antigos colegas Victor Florian e Gilad Hirschberger, do Departamento de Psicologia da Universidade Bar-Ilan, também em Israel, pediu que casais relatassem suas experiências cotidianas em um diário. Descobriram que pessoas com um estilo de apego evitativo avaliavam os parceiros de um modo menos positivo do que os não evitativos. E mais, descobriram que faziam isso *até mesmo nos dias em que seus relatos sobre o comportamento do outro indicavam apoio, carinho e atenção*. O Dr. Mikulincer explica que esse padrão de comportamento é conduzido pela atitude em geral desdenhosa em relação à conexão. Quando ocorre algo capaz de contradizer essa perspectiva – quando o cônjuge se comporta de um modo genuinamente dedicado e amoroso, por exemplo –, os evitativos estão propensos a ignorar o comportamento ou pelo menos a diminuir seu valor.

Quando estavam juntos, Carole empregou muitas estratégias de desativação, tendendo a se concentrar nos atributos negativos de Bob. Embora tivesse consciência dos pontos fortes do namorado, não conseguia deixar de pensar no que percebia como incontáveis defeitos. Somente depois do rompimento, quando ela deixou de se sentir ameaçada pelo alto nível de intimidade, cessaram suas estratégias de defesa. Só então ela foi capaz de acessar os sentimentos profundos de apego que estavam ali o tempo todo e avaliar os atributos positivos de Bob de uma forma precisa.

## Cuidado: leia os sinais

Imagine que você tem um filho e que, por mais que se esforce, não consegue entender os sinais dados pelo bebê. Não é capaz de dizer se está com fome ou cansado, se quer colo ou se quer ficar sozinho, se precisa trocar as fraldas ou se está doente. Uma vida assim seria muito difícil para os dois. O bebê teria que se esforçar muito mais – e chorar mais – para ser compreendido.

Ter um estilo de apego evitativo faz com que você se sinta, com frequência, como o pai ou a mãe daquela criança. Você não é muito bom em traduzir os numerosos sinais verbais e não verbais recebidos durante as interações diárias, de modo a ter uma compreensão coerente do estado mental da pessoa amada. O problema é que, juntamente com sua atitude autossuficiente, você também se treina para não se importar com os sentimentos daquele que está mais próximo de você. Conclui que ter essa preocupação não é tarefa sua, que os outros precisam cuidar sozinhos de seu próprio bem-estar emocional. Essa falta de compreensão leva os parceiros dos evitativos a se queixarem da falta de apoio emocional. Leva também a menos ligação, carinho e satisfação no relacionamento.

O Dr. Jeffry Simpson, professor de Psicologia da Universidade de Minnesota, estuda como as orientações do apego adulto estão associadas ao funcionamento das relações e ao bem-estar, particularmente quando os parceiros estão perturbados. Ele também pesquisa a precisão empática – condição sob a qual as pessoas tendem a ser mais ou menos acuradas na percepção dos sentimentos do parceiro. Em um estudo conduzido com Steve Rholes, da Universidade Texas A&M, foi realizado um experimento para examinar se indivíduos com diferentes estilos de apego diferiam na capacidade de inferir os pensamentos de seu parceiro. Pediram que eles dessem notas que indicassem quão atraentes e sexys consideravam imagens de pessoas do sexo oposto que lhes eram apresentadas no experimento na presença de seus parceiros. Em seguida, pediram que cada um avaliasse as reações do parceiro durante esse processo. Constatou-se que os evitativos eram menos precisos do que os ansiosos ao perceberem os pensamentos e sentimentos do outro durante o experimento. Era comum que os evitativos interpretassem a reação do parceiro como sendo indiferente quando davam uma nota alta para uma imagem considerada muito atraente, quando, na verdade, o parceiro tinha ficado bem abalado.

John Gray começa seu popularíssimo livro *Homens são de Marte, mulheres são de Vênus* com uma descrição do momento de descoberta que fez com que ele escrevesse o livro. Dias depois de sua mulher Bonnie dar à luz uma filha em um parto extremamente doloroso, John retomou o trabalho (todos os sinais indicavam que ela estava se recuperando). Voltou para casa no fim do dia e descobriu que a mulher tinha ficado sem analgésicos e, consequentemente, "passara o dia inteiro com dores, cuidando de um recém-nascido". Quando percebeu como ela estava perturbada, ele interpretou erroneamente aquela perturbação como sendo raiva e ficou na defensiva – tentando provar sua inocência. Afinal de contas, não sabia que o remédio tinha acabado. Por que ela não telefonara? Depois de uma discussão acalorada, ele estava prestes a sair de casa com raiva quando Bonnie o impediu: "Pare com isso, por favor, não vá embora", disse ela. "É agora que mais preciso de você. Estou sentindo dor. Não durmo há dias. Por favor, me escute." Nesse momento, John se aproximou dela e a abraçou em silêncio. Depois ele disse: "Naquele dia, pela primeira vez, não me afastei... consegui dar o que ela precisava no momento em que realmente carecia de mim."

Esse evento – a tensão e a responsabilidade de ter um recém-nascido, juntamente com a capacidade de comunicação altamente efetiva da esposa – ajudou a invocar um modelo operacional seguro para John. Ajudou-o a perceber que o bem-estar de sua esposa era responsabilidade sua e era um dever sagrado. Foi uma verdadeira revelação para ele. Até então, ele sempre estivera ocupado com as próprias necessidades e reagia de forma defensiva aos pedidos e insatisfações da parceira. A partir daquele momento, ele conseguiu mudar e passar a ter um modo de pensar mais seguro. Não é uma tarefa fácil quando se tem um estilo de apego evitativo, mas é possível se você se abrir o suficiente para realmente enxergar o parceiro.

## Saudade do(a) ex "fantasma" ou em busca da "pessoa certa"

Essas talvez sejam as duas ferramentas mais traiçoeiras que você pode usar para tolher o amor. Você se convence de que tem saudade de alguém do passado ou de que a *pessoa certa* está bem na esquina – e isso pode com facilidade minar o seu amor. Encampar a noção da existência do(a) parceiro(a) "perfeito(a)" é uma das ferramentas mais poderosas que um(a) evitativo(a) pode usar para manter-se afastado(a) de alguém. Esse modo de pensar permite que você acredite que está tudo bem com você e que o problema reside na outra pessoa – ela não é boa o bastante, só isso. Além de criar distância entre você e seu(sua) parceiro(a), isso também pode confundi-lo(a). Quando o outro ouve você dizer quanto gostava de um(a) ex ou quanto anseia encontrar a pessoa certa, isso o(a) leva a acreditar que você está em busca de proximidade e intimidade, quando na verdade as evita.

## Ex "fantasma"

Uma das consequências de desvalorizar o relacionamento romântico atual é que, com frequência, você só se dá conta quando já é tarde. Então, você esquece tudo de negativo que o irritava no parceiro e pergunta a si mesmo o que deu errado e se recorda com nostalgia do amor perdido. Chamamos isso de *o fenômeno do ex "fantasma"*.

Muitas vezes, como aconteceu com Carole (que "redescobriu" seu sentimento por Bob somente depois de ter terminado com ele), assim que a pessoa com estilo evitativo põe tempo e distância entre ela e o outro por quem se desinteressou, algo de estranho acontece: os sentimentos de amor e de admiração retornam! Tão logo se vê a uma distância segura, a ameaça da intimidade se desfaz e você não sente mais a necessidade de suprimir seus sentimentos verdadeiros. Consegue então se lembrar de todas as grandes virtudes do(a) ex, convencendo-se de que ele(a) foi o(a) melhor parceiro(a) de sua vida. Claro que você não consegue articular por que aquela pessoa não servia para você, nem se lembrar com clareza dos motivos que levaram ao rompimento em primeiro lugar (ou talvez você tenha se comportado de forma tão terrível que ele[a] não teve escolha e precisou deixar você). Essencialmente, você coloca o(a) parceiro(a) anterior em um pedestal e homenageia o "amor da sua vida", perdido para sempre. Às vezes, tenta retomar o relacionamento, iniciando um círculo vicioso de aproximação e afastamento. Em outras ocasiões, mesmo que a outra pessoa esteja disponível, você não tenta voltar, mas continua a pensar nela incessantemente.

Essa fixação em um antigo amor afeta novos relacionamentos, pois funciona como uma estratégia de desativação, impedindo você de se aproximar de alguém novo. Embora você talvez nunca volte a se relacionar com o(a) "fantasma", basta saber que ele(a) está por aí para fazer qualquer novo amor parecer insignificante comparativamente.

## O poder da "pessoa certa"

Já saiu com alguém que você acha incrível, mas à medida que ficam mais próximos você acaba chegando à conclusão de que não é tão atraente assim? Isso pode ocorrer até mesmo depois de você sair com a pessoa por um tempo considerável ou com muita intensidade, acreditando que ela é aquele alguém especial. E aí é como se lhe jogassem um balde de água fria. Começa a reparar que a pessoa tem um jeito esquisito de comer ou que a forma com que assoa o nariz é inaceitável. Acaba descobrindo que, depois do encantamento inicial, você se sente sufocado(a) e precisa dar um passo para trás. O que não percebe é que essa onda de negatividade podia ser, na realidade, uma estratégia de desativação, desencadeada inconscientemente para desligar suas necessidades de apego.

Sem querer olhar para dentro – e acreditando que todos nós temos a mesma capacidade de manter intimidade –, você conclui que simplesmente não está tão apaixonado(a) assim e se afasta. A outra pessoa fica arrasada e protesta, mas isso apenas fortalece sua convicção de que ela não é a "pessoa certa". Passando de um encontro para o outro, você começa esse círculo vicioso repetidas vezes e acredita o tempo todo que assim que encontrar a "pessoa certa" você estabelecerá sem nenhum esforço uma ligação em um nível totalmente diferente.

## É possível mudar quando se tem um estilo de apego evitativo?

Ao ler este capítulo, torna-se claro que ser evitativo não equivale, de fato, a levar uma vida autossuficiente. Trata-se de levar uma vida de dificuldades envolvendo a supressão constante de um poderoso sistema de apego por meio da utilização de (também poderosas) estratégias de desativação que delineamos. Devido à sua potência, é fácil concluir que é impossível extrair e alterar tais comportamentos, pensamentos e crenças. Mas, realmente, não é este o caso. A *verdade* é que a esmagadora maioria das pessoas com estilo de apego evitativo presume que o motivo para não conseguirem encontrar a felicidade em um relacionamento tem pouco a ver com eles e muito a ver com circunstâncias externas – conhecer as pessoas erradas, não encontrar a "pessoa certa" ou só deparar com pretendentes que querem prendê-los. Raramente buscam dentro de si a razão de tanta insatisfação e, mais raramente ainda, buscam ajuda ou mesmo admitem ser ajudados quando o parceiro sugere. Infelizmente, não é provável que ocorra uma mudança antes que eles olhem para dentro ou busquem aconselhamento.

Em ocasiões em que vivenciam uma infelicidade extrema – por causa de sentimentos severos de solidão, depois de uma experiência que altera sua visão da vida ou após um acidente grave –, as pessoas com estilo de apego evitativo conseguem mudar o modo de pensar. Para vocês que chegaram a esse ponto, sugiro que tomem nota das oito ações seguintes para dar um passo rumo à intimidade genuína. A maioria desses passos exige, antes de tudo, que você amplie seu autoconhecimento. Mas conhecer os padrões de pensamento que impedem que você tenha a capacidade de se aproximar de alguém de verdade é apenas o primeiro passo. O passo seguinte, *mais difícil*, exige que você comece a identificar exemplos em que emprega essas atitudes e comportamentos e então embarcar em uma viagem de transformação.

OITO COISAS QUE VOCÊ PODE COMEÇAR A FAZER
AINDA HOJE PARA DEIXAR DE AFASTAR O AMOR

1. **Aprenda a identificar as estratégias de desativação.** Não aja por impulso. Quando se empolgar com alguém mas intuir, de repente, que essa pessoa não é para você, pare e pense. Será que isso é na realidade uma estratégia de desativação? Todas essas pequenas imperfeições que você começa a reparar não seriam uma forma de o seu sistema de apego obrigá-lo(a) a recuar? Lembre-se de que essa imagem está distorcida e que você precisa da intimidade apesar de se sentir pouco à vontade com ela. Se achou que o outro era maravilhoso no princípio, você tem muito a perder ao afastá-lo.

2. **Tirar a ênfase da autossuficiência e se concentrar no apoio mútuo.** Se seu parceiro sente que tem uma base segura à qual recorrer (e não sente que precisa se esforçar para obter proximidade) e você não sente a necessidade de se distanciar, os dois passam a ser mais capazes de ampliar o olhar e fazer suas próprias coisas. Com isso, você se tornará mais independente e o outro, menos carente. (Ver mais sobre o "paradoxo da dependência" no capítulo 2).

3. **Encontre um parceiro seguro.** Como você verá no capítulo 7, pessoas com estilo de apego seguro tendem a fazer com que seus parceiros ansiosos e evitativos se tornem também mais seguros. Alguém com um estilo ansioso, porém, exacerbará sua evitação – frequentemente criando um círculo vicioso. Se tiver oportunidade, recomendamos que escolha a rota segura. Assim, você irá deparar com menos comportamento defensivo, menos brigas e menos angústias.

4. **Esteja consciente da sua tendência para interpretar erroneamente os comportamentos.** Visões negativas dos comportamentos e intenções do parceiro infiltram vibrações ruins no re-

lacionamento. Mude o padrão! Reconheça essa tendência, repare quando ela surge e procure uma perspectiva mais plausível. Lembre-se de que este é seu parceiro, de que vocês escolheram ficar juntos e que talvez seja melhor para você acreditar que o outro tem as melhores intenções.

5. **Faça uma lista de gratidão para o relacionamento.** Lembre-se mesmo, diariamente, de que você tende a pensar de forma negativa sobre seu(sua) parceiro(a) ou a pessoa com quem está saindo. Esta é apenas uma parte do seu modo de ser, se você tiver um estilo de apego evitativo. Seu objetivo deve ser reparar no que há de positivo nas ações do outro. Talvez não seja uma tarefa fácil, mas com prática e perseverança, aos poucos, você pega o jeito. Especifique pelo menos uma forma como seu(sua) parceiro(a) contribuiu para seu bem-estar, mesmo que seja algo pequeno, e diga por que você se sente grata(o) por tê-lo(a) em sua vida.

6. **Exorcize o(a) ex "fantasma".** Quando se pegar idealizando um antigo amor, pare e reconheça que ele(a) não é (nem nunca foi) uma opção viável. Ao se lembrar de como você tinha um olhar crítico para aquele relacionamento – e como relutava em se comprometer –, você consegue deixar de usar o outro como uma estratégia de desativação e passa a conseguir se concentrar em alguém novo.

7. **Esqueça a "pessoa certa".** Não discutimos que existem almas gêmeas em nosso mundo. Pelo contrário, acreditamos de todo o coração nessa experiência. Mas também é nossa crença que você precisa ser parte ativa no processo. Não espere até aparecer a "pessoa certa" que preenche todos os quesitos da sua lista, com a expectativa de que tudo vá se encaixar. *Transforme-as* em sua alma gêmea, escolhendo-as no meio da multidão, permitindo que se aproximem (usando as estratégias oferecidas neste capítulo) e tornando-as uma parte especial de você.

8. **Adote uma estratégia de distração.** Como evitativo, é mais fácil se aproximar do parceiro se houver uma distração (lembre-se do experimento com uma tarefa que distraía os participantes). Concentrar-se em outras coisas – fazer uma caminhada, velejar ou preparar uma refeição juntos – permitirá que você baixe a guarda e acesse com mais facilidade seus sentimentos amorosos. Use este pequeno truque para promover a proximidade entre vocês quando estiverem juntos.

\* \* \*

Para mais dicas de como golpear a evitação, veja o capítulo 8.

# 7

## *Aproximação confortável: o estilo de apego seguro*

Escrever sobre gente com estilo de apego seguro parece uma tarefa tediosa. Afinal de contas, o que há para dizer? Se você é seguro, você é muito confiável, consistente e fiel. Não tenta se esquivar da intimidade nem pira com seus relacionamentos. Há pouquíssimo drama em seus vínculos amorosos – sem altos e baixos, sem ioiôs, nem montanhas-russas, por assim dizer. O que há para acrescentar?

Para falar a verdade, há muito a acrescentar! No processo de compreensão do apego e do modo como um vínculo seguro pode transformar a vida de alguém, passamos a admirar e a apreciar os seguros do mundo. Estão sintonizados com as deixas emocionais e físicas dos parceiros e sabem como reagir. O sistema nervoso deles não fica tão sobrecarregado diante de uma ameaça (como no caso dos ansiosos), mas também não se tranca (como no caso dos evitativos). Neste capítulo, você aprenderá mais sobre as características do estilo seguro e o que elas têm de único. E se você é seguro e normalmente não busca ajuda no que diz respeito aos relacionamentos, o que apresentaremos a seguir servirá como um alerta, pois você também pode deparar com um relacionamento ineficaz que pode afetá-lo(a) de forma prejudicial.

## O EFEITO AMORTECEDOR DOS SEGUROS

Repetidamente, pesquisas demonstram que o fator que melhor prevê a felicidade em um relacionamento é um estilo de apego seguro. Estudos apontam que os indivíduos com estilo seguro reportam níveis mais altos de satisfação no relacionamento do que pessoas com outros estilos de apego. Patrick Keelan, como parte de sua dissertação de doutorado na Universidade de Toronto, conduziu um estudo para testar essa questão. Juntamente com o falecido professor de psicologia Kenneth Dion e sua parceira de pesquisa e esposa, Karen Dion, professora de psicologia na Universidade de Toronto, eles acompanharam mais de uma centena de universitários que estavam saindo com outras pessoas por mais de quatro meses. Descobriram que os indivíduos seguros mantinham altos níveis de satisfação, de compromisso e de confiança. Em comparação, indivíduos inseguros relatavam níveis decrescentes desses três itens ao longo do mesmo período de tempo.

Mas o que ocorre quando os seguros e os inseguros interagem? Em um experimento separado, os pesquisadores arranjaram observadores para dar notas ao funcionamento do casal durante uma interação conjunta. Não surpreende que os casais seguros – aqueles em que os dois componentes têm o estilo seguro – funcionavam melhor do que os inseguros – aqueles em que os dois componentes são ansiosos ou evitativos. Mas eis o que era mais interessante: não foi observada diferença entre casais seguros e casais "mistos" – aqueles com apenas um parceiro seguro. Ambos demonstravam menos conflito e foram avaliados como tendo um funcionamento melhor do que as duplas "inseguras".

Portanto, não são apenas as pessoas com um estilo de apego seguro que se dão melhor nos relacionamentos: elas também criam um efeito amortecedor conseguindo, de algum modo, aumentar a satisfação do parceiro inseguro e levando-o a funcionar na sua frequência. Trata-se de uma descoberta importante. Isso significa que, se você estiver com alguém seguro, será estimulado a adotar uma postura mais segura.

## Diga-me: é mágica?

O que há nas pessoas de estilo de apego seguro que cria esse efeito "mágico" em seus relacionamentos? Os seguros são sempre os indivíduos mais simpáticos, adoráveis ou sociáveis? É possível reconhecê-los pelo charme, pela compostura ou pela autoconfiança? A resposta para todas essas perguntas é: não. Como acontece com outros estilos de apego, nem a personalidade nem as características físicas denunciam os seguros. Eles podem se encaixar em quase todas as descrições de uma gama de personalidades, como veremos a seguir.

- **Aaron, 30 anos,** engenheiro químico, é introvertido e detesta eventos sociais. Passa a maior parte de suas horas livres trabalhando, lendo, com os irmãos ou com os pais e acha difícil fazer novos amigos. Teve a primeira experiência sexual há dois anos.
- **Brenda, 27 anos,** produtora de cinema, conhece todo mundo e sempre nos lugares mais movimentados. Teve um namoro sério dos 18 aos 24 anos e desde então tem saído com diversas pessoas.
- **Gregory, 50 anos,** engenheiro elétrico, divorciado e pai de dois filhos, é muito extrovertido e fácil de lidar. Ainda está lambendo as feridas que resultaram do casamento fracassado e está em busca de sua futura esposa.

Os seguros aparecem em todos os formatos, tamanhos e modelos possíveis. Há algo mais que os distingue e que é mais difícil de reconhecer, pelo menos de início. Janet, 41, experimentou esse "algo mais" em primeira mão.

Arrasada pela quantidade de trabalho que tinha deixado inacabado antes do fim de semana, Janet acordou aterrorizada na manhã de segunda-feira. Estava convencida de que não havia como resolver toda aquela imensa pilha de papéis sobre sua escrivaninha e a situação a fez se sentir incompetente. Virou-se para Stan, seu marido, que estava deitado ao seu lado na cama e – do nada – disse a ele como estava decepcionada com o progresso do negócio dele e como ficava preocupada que *ele* não tivesse sucesso. Stan ficou desconcertado, mas reagiu ao ataque de Janet sem qualquer traço visível de animosidade. "Compreendo que esteja assustada e, se isso lhe servir de consolo, saiba que também me sinto assim. Mas, se estiver tentando me encorajar a ser mais eficiente no trabalho (o que você costuma fazer), esta não é a melhor maneira."

Janet ficou estupefata. Sabia que ele tinha razão – que ela expressara apenas suas próprias preocupações. Ao ver que ela estava em lágrimas, Stan se ofereceu para levá-la de carro ao trabalho. Durante a viagem, ela pediu desculpas. Não tinha a intenção de dizer aquilo, mas estava em um estado emocional em que tudo lhe parecia desolador.

Foi então que ela percebeu como Stan era um marido maravilhoso, capaz de oferecer-lhe apoio. Se *ele* a atacasse do nada, *ela* teria respondido à altura e teria ocorrido o início da Terceira Guerra Mundial. Janet não teria se mantido suficientemente tranquila para perceber o que realmente se passava, para compreender que ela não era o problema, e sim ele. A capacidade de Stan para lidar com a situação como lidou exigia um autêntico dom emocional. "Tenho que me lembrar de como é bom receber tudo isso e de retribuir esse apoio algum dia", pensou com seus botões.

## Quando a ameaça não é detectada

Pessoas com um estilo de apego seguro, como Stan, se caracterizam por algo muito real mas que não é visível externamente. Elas são programadas para esperar que o parceiro seja amoroso e receptivo; não se preocupam demais com a ideia de perder o amor do outro. Sentem-se extremamente confortáveis com a intimidade e a proximidade e têm habilidades incomuns para comunicar suas necessidades e para reagir às necessidades do outro.

De fato, uma série de estudos com o objetivo de acessar a mente inconsciente dos participantes (ao medir quanto tempo leva para que eles reportem palavras que piscam rapidamente em um monitor, como descrito no capítulo 6) comparou as reações de pessoas com estilo ansioso, evitativo e seguro. Os estudos concluíram que os seguros têm mais acesso inconsciente a temas como amor, abraços, proximidade e menos acesso ao perigo, à perda e à separação. No entanto, ao contrário dos evitativos – que não reagiam inicialmente a essas palavras mas respondiam a elas quando estavam distraídos –, os seguros continuavam a não as perceber, mesmo quando distraídos. Diferentemente de pessoas com estilo evitativo, os seguros não se preocupavam com pensamentos ameaçadores ao relacionamento, mesmo quando pegos de surpresa. Em outras palavras, eles não precisam fazer um esforço para reprimir essas ideias. Simplesmente não se preocupam com essas questões – consciente ou subconscientemente! E mais: quando se pedia especificamente aos seguros que pensassem sobre separação, abandono e perda – e neste experimento, de modo consciente –, eles conseguiam fazê-lo e, como resultado, ficavam mais nervosos, segundo testes de condutibilidade de pele (que medem a quantidade de suor). O notável, porém, era que, ao serem instruídos a parar de pensar nesses assuntos, a condutibilidade voltava abruptamente ao normal. Assim, o que parece ser resultado de um grande esforço para muitos – manter um equilíbrio emocional diante da ameaça – vem com facilidade para os seguros. Simplesmente não são tão sensíveis aos sinais negativos do mundo.

Essa postura influencia todos os aspectos de seus relacionamentos amorosos. Eles são:

- **Grandes pacificadores de conflito** – durante uma briga, não sentem necessidade de agir na defensiva nem de machucar ou punir o outro. Desse modo, evitam que as situações se agravem.
- **Mentalmente flexíveis** – não se sentem ameaçados pelas críticas. Estão dispostos a reconsiderar a forma como agem e, se necessário, revisar suas crenças e estratégias.
- **Comunicadores eficazes** – esperam que os outros sejam compreensivos e receptivos, e por isso expressar sentimentos para os parceiros com liberdade e precisão é algo natural para eles.
- **Não fazem joguinhos** – querem proximidade e acreditam que os outros querem a mesma coisa. Então para que fazer joguinhos?
- **À vontade com a proximidade, despreocupados com limites** –

procuram a intimidade e não têm medo de ser "enredados". Por não sucumbirem ao medo de serem desprezados (como ocorre com os ansiosos) nem à necessidade de se desativar (como os evitativos), eles acham fácil desfrutar da proximidade, seja ela física ou emocional.
- **Perdoam facilmente** – presumem que as intenções dos parceiros são boas e por isso estão mais propensos a perdoá-los quando lhes causam alguma mágoa.
- **Tendem a enxergar como uma coisa só o sexo e a intimidade emocional** – não precisam criar distância separando as duas coisas (proximidade emocional *ou* sexual).
- **Tratam os parceiros como se eles pertencessem à realeza** – quando você se torna parte de seu círculo mais próximo, eles o(a) tratam com amor e respeito.
- **Confiam em suas habilidades para aprimorar o relacionamento** – são confiantes nas suas crenças positivas sobre si mesmos e sobre os outros, o que torna lógico este raciocínio.
- **São responsáveis pelo bem-estar do parceiro** – esperam que os outros sejam receptivos e amorosos com eles e por isso são receptivos às necessidades dos outros.

Muitas pessoas que vivem com parceiros inseguros não conseguem nem imaginar como poderia ser fundamentalmente diferente a vida com alguém seguro. Para começar, eles não se envolvem na "dança do relacionamento", a que os terapeutas costumam se referir com frequência – aquele movimento em que um parceiro se aproxima enquanto o outro recua para manter certa distância no relacionamento o tempo todo. Em vez disso, há um sentimento de proximidade e intimidade crescentes. Em segundo lugar, eles são capazes de discutir emoções com você de um modo sensível, empático e – o mais importante – coerente. Por fim, o indivíduo seguro envolve o parceiro com um escudo protetor emocional que ajuda a tornar mais fácil a tarefa de encarar o mundo exterior. Costumamos deixar de perceber que grande bônus são esses atributos, a não ser quando estão em falta. Não é coincidência que as pessoas mais apreciativas de um relacionamento seguro sejam aquelas que experimentaram vínculos com parceiros seguros *e* inseguros. Embora essas pessoas sejam capazes de lhe dizer que há uma enorme diferença nesses relacionamentos, mesmo sem conhecerem a teoria do apego, elas também não conseguem explicar exatamente qual é essa diferença.

## De onde vem esse "talento"?

Se você é seguro, será que nasceu com essa capacidade excepcional ou ela é algo que se aprende com a vida? John Bowlby acreditava que os estilos de apego existem em função de uma experiência na vida – em especial, a partir de nossas interações com os pais durante a primeira infância. Uma pessoa desenvolverá um estilo de apego seguro se os pais forem sensíveis e receptivos às suas necessidades. Essa criança aprenderá que é possível confiar nos pais, sabendo que estarão disponíveis para ela sempre que precisar deles. Mas Bowlby afirmava que não parava por aí. Ele acreditava que uma criança segura manteria essa confiança na vida adulta e nos relacionamentos futuros com parceiros amorosos.

Será que as evidências apoiam essas previsões? Em 2000, Leslie Atkinson, que conduz pesquisas sobre o desenvolvimento infantil na Universidade Ryerson, em Toronto, em colaboração com diversos outros colegas, conduziu uma meta-análise baseada em 41 estudos anteriores. No total, analisaram mais de 2 mil pares de pais-filhos para avaliar a ligação entre a sensibilidade parental e o estilo de apego do filho. Os resultados demonstraram uma ligação fraca, mas significativa, entre os dois – filhos de mães sensíveis às suas necessidades *estavam* mais propensos a ter um estilo de apego seguro. O aspecto fraco dessa ligação indica que, além das questões metodológicas, poderia haver muitas outras variáveis em jogo para determinar o estilo de apego da criança. Entre os fatores que aumentam as chances de uma criança ser segura está um temperamento afável (o que facilita que os pais sejam receptivos), condições positivas para a mãe – satisfação matrimonial, baixo estresse e depressão, apoio social – e menos horas com um cuidador que não seja um dos pais.

Para complicar mais a questão, vem ganhando impulso científico nos últimos anos a ideia de que somos geneticamente predispostos a determinado estilo de apego. Em um estudo de associação genética, que examina se determinada variante de um gene prevalece mais com uma característica do que com outra, Omri Gillath, da Universidade do Kansas, e seus colegas da Universidade da Califórnia descobriram que um padrão específico do alelo DRD2 do receptor de dopamina está associado ao estilo de apego ansioso, ao passo que uma variante do receptor de serotonina 5-HT1A estava ligado à evitação. Esses dois genes são conhecidos por atuar em muitas funções cerebrais, inclusive nas de emoção, recompensa, atenção e, o importante, no comportamento social e no vínculo de casal. Os autores concluíram que "as inseguranças de apego são parcialmente explicadas por genes determinados, embora ainda haja uma grande variabilidade de diferenças individuais que precisam ser explicadas por outros genes ou experiências sociais". Em outras palavras, os genes podem desempenhar um papel importante na determinação do estilo de apego.

Porém, mesmo que tenhamos sido seguros na primeira infância, será que isso poderá durar até a idade adulta? Para testar essa pergunta, os pesquisadores voltaram a avaliar os participantes que eram bebês nos anos 1970 e 1980 e que tinham no momento do novo experimento idades próximas aos 20 anos. Homens e mulheres classificados como seguros no começo da infância continuariam seguros quando adultos? A resposta permanece incerta: três estudos fracassaram em encontrar uma correlação entre a segurança no apego na infância e na idade adulta, enquanto outros três encontraram uma ligação significativa do ponto de vista estatístico. O que está claro é que, mesmo se houver uma correlação entre estilo de apego na infância e na idade adulta, ela é, na melhor das hipóteses, fraca.

Então de onde *vem* o apego seguro? À medida que mais estudos se tornam disponíveis, há evidências cada vez maiores de que ele não se origina em uma única fonte. A equação que estabelece que pais atenciosos e sensíveis criam um filho seguro pelo resto da vida é unidimensional demais. Ao que parece, um mosaico inteiro de fatores se junta para criar esse padrão de apego: nossa ligação precoce com os pais, os genes e também algo mais – nossas experiências amorosas na idade adulta. Em média, 70% a 75% dos adultos permanecem na mesma categoria de apego de forma consistente, em diferentes pontos da vida, enquanto os restantes 25% a 30% da população relatam mudanças em seu estilo de apego.

Os pesquisadores atribuem essa mudança a relacionamentos amorosos na idade adulta que são tão poderosos que conseguem fazer com que revisemos nossas crenças e atitudes mais básicas em relação à conexão com parceiros. E sim, a mudança pode ocorrer nas duas direções – pessoas seguras podem se tornar menos seguras e pessoas originalmente inseguras podem se tornar cada vez mais seguras. Se você é inseguro(a), essa é uma informação vital e pode ser sua passagem para a felicidade nos relacionamentos. Se você é seguro(a), deve ter ciência dessa descoberta porque tem muito a perder ao se tornar menos seguro(a).

### Acessando a mentalidade segura: como criar uma base segura para seu parceiro

Como você deve se lembrar, um dos papéis mais importantes que desempenhamos na vida de nossos pares é fornecer uma base segura: criar condições que permitam que nossos parceiros persigam seus interesses e explorem o mundo com confiança. Brooke Feeney e Roxanne Thrush, na Universidade Carnegie Mellon, em um estudo publicado em 2010, descobriram que três comportamentos específicos estão na base desse termo tão amplo. Você também pode fornecer uma base segura para seus parceiros ao adotar os comportamentos de que falaremos a seguir.

- **Fique disponível:** reaja com sensibilidade à angústia deles, permita que sejam dependentes de você quando sentirem necessidade, verifique como estão de tempos em tempos e ofereça conforto quando as coisas derem errado.
- **Não interfira:** forneça apoio aos esforços deles *nos bastidores*. Ajude de

> modo a deixar com eles a iniciativa e o sentimento de poder. Permita que façam suas coisas sozinhos sem tentar assumir o controle da situação, microgerenciar ou solapar sua confiança e sua habilidade.
> - **Encoraje:** proporcione encorajamento e aceite seus objetivos de aprendizado e de crescimento pessoal. Alimente a autoestima deles.

## Não sou eu, é você – a escolha de um par

Se você tem um estilo de apego seguro, sabe como contornar muitos dos obstáculos encarados com dificuldade por quem apresenta outros estilos. Você gravita naturalmente na direção daqueles com capacidade de fazê-lo(a) feliz. Diferentemente dos ansiosos, você não deixa que um sistema de apego ativado o(a) distraia – você não é viciado(a) em uma vida de altos e baixos com alguém que obriga você a adivinhar seus sentimentos o tempo todo. Diferentemente daqueles com estilo evitativo, você não tem falsas fantasias de que há uma pessoa perfeita esperando por você ou de que a "pessoa certa" partiu, tampouco emprega inconscientemente estratégias de desativação que fazem você recuar quando alguém se aproxima.

Sendo do estilo seguro, o contrário é verdadeiro para você: acredita que existem muitas pessoas abertas para a intimidade e a proximidade, e que responderiam às suas necessidades. Sabe que merece ser amado(a) e valorizado(a) o tempo todo, você é *programado(a)* para ter essa expectativa. Se alguém emite vibrações que *não estão* alinhadas a essas expectativas – se alguém for inconsistente ou evasivo –, você automaticamente perde o interesse. Tanya, de 28 anos, mulher segura que entrevistamos, explicou com simplicidade:

> *Já dormi com 11 caras na minha vida e todos queriam ter um relacionamento sério comigo. Acho que é algo que eu comunico. Sei que transmito a mensagem de que sou alguém digno de se conhecer não apenas na cama e que, se ficarem por perto, vão descobrir um tesouro. Os caras por quem demonstro interesse não fazem joguinhos*

*– isso é muito importante para mim. Eles ligam no dia seguinte ou, no máximo, na noite seguinte. Em retribuição, logo de início eu demonstro que estou interessada. Houve apenas dois casos em que os homens esperaram dois dias para telefonar e eu os descartei imediatamente.*

Repare que Tanya não desperdiça tempo algum com homens que ela percebe como não sendo suficientemente atenciosos às suas necessidades. Para alguns, suas decisões podem parecer imprudentes, mas para os seguros esse comportamento vem de forma natural. Estudos na área do apego confirmam que os participantes com um estilo mais seguro estão menos propensos a fazer jogos. Tanya sabe de modo intuitivo quais são os parceiros errados para ela. No que lhe diz respeito, fazer jogos é algo que está fora de questão. Um ponto importante sobre sua forma de encarar a situação é que Tanya presume que se o parceiro a tratar de forma desrespeitosa isso é um indicativo da incapacidade *dele* de ser atencioso em um relacionamento, é algo *sem relação* com seu valor. Ela também não guarda muitos sentimentos negativos em relação aos dois homens que não lhe telefonaram no dia seguinte. Para ela não é uma questão; instintivamente ela parte para outra. É bem diferente de alguém ansioso, que provavelmente presumiria ter culpa pelos atos da pessoa com quem saiu. Talvez comece a ter dúvidas sobre seu próprio comportamento – "Fui com muita sede ao pote"; "Devia ter convidado para subir"; "Foi uma estupidez perguntar sobre a ex" –, dando à pessoa errada uma segunda, terceira ou quarta chance.

No caso de Tanya, ela já havia aprendido o suficiente e considerava inútil prosseguir um relacionamento com homens que não tinham a capacidade de atender às suas demandas emocionais. Mas, havendo dúvida, uma das ferramentas mais usadas por quem tem um estilo de apego seguro é a *comunicação eficaz* – simplesmente revelam seus sentimentos e veem como o outro reage. Se o parceiro demonstra preocupação genuína com o seu bem-estar e uma disposição para encontrar um acordo, pessoas seguras darão uma chance ao relacionamento. Do contrário, não perderão tempo com o que acreditam ser uma batalha perdida (ver capítulo 11).

> ### Encontrar o par certo — o jeito dos *seguros*
>
> Os princípios que defendemos neste livro para encontrar o par ideal são empregados de modo intuitivo por quem tem um estilo de apego seguro. Eles incluem:
>
> - Identificar armas fumegantes muito no início e tratá-las como cartas fora do baralho.
> - Comunicar de forma eficaz suas necessidades desde o primeiro momento.
> - Adotar a crença de que existem muitas pessoas capazes de fazer você feliz.
> - Nunca assumir a culpa pelo comportamento ofensivo do outro. Quando um(a) parceiro(a) age com falta de consideração ou com agressividade, os seguros reconhecem que isso diz mais sobre o outro do que sobre eles mesmos.
> - Ter a expectativa de ser tratado(a) com respeito, dignidade e amor.

## Quer dizer que os seguros estão imunes aos problemas de relacionamento?

Os seguros nem sempre se relacionam entre si – namoram e casam com gente com os três tipos de apego. A boa notícia é que, se você é seguro, você tem potencial para se entender com quem tem estilos de apego ansioso ou evitativo – mas apenas se for capaz de manter sua maneira de pensar segura. Se você perceber que está se tornando menos seguro, você não perde apenas um dom precioso, mas também experimenta menos felicidade e satisfação em seus relacionamentos.

Se você é seguro, uma das razões para ser capaz de manter um relacionamento satisfatório com alguém com estilo de apego inseguro é que, por sua causa, ele se tornará gradativamente mais seguro em consequência da sua companhia. Quando sai com alguém ansioso, é isso que costuma acontecer com mais frequência. Uma das coisas que Mary Ainsworth observou no relacionamento entre mãe e bebê foi que mães seguras eram uma categoria especial. Não cuidavam mais dos filhos nem os colocavam no colo mais do que as mães de crianças ansiosas ou evitativas, mas pareciam possuir uma espécie de "sexto sentido" e sabiam, de forma intuitiva, *quando* o filho queria colo. Sentiam a perturbação emergente da criança e agiam antes de a crise avançar. E, se a criança se agitava, elas pareciam saber exatamente como reconfortá-las.

Também encontramos esse fenômeno em casais adultos. Adultos seguros sabem naturalmente como reconfortar e cuidar de seus parceiros – é um talento inato. Pode ser visto na transição do casal para a maternidade e paternidade. Jeffry Simpson, da Universidade de Minnesota, e Steven Rholes, da Universidade Texas A&M, coeditores do livro *Attachment Theory and Close Relationships* (Teoria do apego e relacionamentos próximos), juntamente com Lorne Campbell e Carol Wilson, descobriram uma mudança relacionada à chegada de filhos. Mulheres com apego ansioso, ao se tornarem mães, estavam propensas a caminhar na direção da segurança nas interações com os parceiros se percebessem que eles estavam disponíveis, prontos para apoiá-las, acolhedores durante a gravidez – característica dos seguros. Em outras palavras, a sensibilidade e o encorajamento dos adultos seguros têm o mesmo efeito sob seus parceiros que a mãe segura tem sob seu bebê, o suficiente para criar uma alteração no estilo de apego do outro.

Cabe aqui, porém, uma palavra de cautela. Às vezes pessoas seguras, apesar do talento inato para se defenderem de candidatos potencialmente inadequados e da capacidade de tornar seus parceiros mais seguros, podem ter relacionamentos ruins. Isso acontece não apenas quando elas são inexperientes, mas também quando reagem a um comportamento inaceitável do parceiro, a longo prazo, dando-lhes o benefício da dúvida e tolerando seus atos.

Nathan, 35 anos, estava perdendo a cabeça. Em oito anos de casamento com Shelly, as coisas iam de mal a pior. Os ataques de mau humor de Shelly, que eram raros no início, agora aconteciam praticamente todos os dias. Seus rompantes também se tornaram mais severos.

Ela quebrou objetos da casa e em uma ocasião chegou a bater nele. Mas os problemas do relacionamento não pararam por aí. Nathan surpreendeu-a mantendo casos virtuais. Pior: tinha fortes suspeitas de que Shelly também tinha casos no mundo real. Embora ela ameaçasse partir muitas vezes – como se estivesse testando a paciência e a tolerância dele –, ela não pegava as coisas e saía. Nathan estava convicto de que assim que aquela "fase" acabasse, tudo voltaria ao normal. Via-se também como responsável pelo bem-estar de Shelly e não queria abandoná-la enquanto atravessava "um momento tão difícil". Por conta disso, ele aguentou os abusos e os casos. Por fim, Shelly anunciou que não estava mais apaixonada por ele, que conhecera outra pessoa e que ia terminar o casamento. Assim que Shelly decidiu partir, Nathan aceitou sua decisão e não tentou reconquistá-la.

Passado o divórcio, Nathan se sente aliviado por Shelly ter se encarregado do assunto, libertando-o de um convívio difícil. No entanto, ele ainda acha complicado explicar o que o fez ficar por tanto tempo naquela situação. A teoria do apego oferece uma explicação. Como vimos, pessoas com estilo seguro encaram o bem-estar dos parceiros como responsabilidade sua. Enquanto têm motivos para crer que os parceiros estão em algum tipo de dificuldade, eles continuarão a apoiá-los. Mario Mikulincer e Phillip Shaver, no livro *Attachment in Adulthood* (Apego na vida adulta), mostram que pessoas com um estilo seguro estão mais propensas a perdoar seus parceiros quando eles cometem erros. Os autores explicam isso como uma complexa combinação de habilidades cognitivas e emocionais: "O perdão exige manobras regulatórias difíceis, [...] compreender as necessidades e os motivos de um transgressor e fazer avaliações e atribuições generosas em relação às características do transgressor e seus atos ofensivos. [...] Pessoas seguras estão mais propensas a encontrar explicações relativamente benignas para os atos ofensivos dos parceiros, inclinando-se a perdoá-los." Além disso, como vimos previamente neste capítulo, os seguros naturalmente pensam menos no lado negativo e podem desativar emoções perturbadoras sem se tornarem distantes e defensivos.

A boa notícia é que as pessoas com estilo seguro têm instintos saudáveis e, em geral, captam logo de início se alguém não foi feito para ser seu parceiro. A notícia ruim é que, quando, ocasionalmente, entram em um relacionamento negativo, os seguros talvez não saibam a hora certa de sair de cena – especialmente no caso de um relacionamento longo, cheio de compromissos, em que se sentem responsáveis pela felicidade do outro.

## COMO É POSSÍVEL DIZER SE AS COISAS FORAM LONGE DEMAIS?

Se você é seguro(a) mas começa a sentir angústia, preocupação, ciúmes (características das pessoas ansiosas) ou descobre que está pensando duas vezes antes de expressar seus sentimentos ou se tornando menos confiante, ou mesmo começando a fazer jogos com o(a) parceiro(a) (características das pessoas de estilo evitativo), isso é um baita sinal de alerta e é bem provável que você esteja com a pessoa errada ou que tenha passado por uma experiência difícil que abalou o núcleo da sua fundação segura. Acontecimentos como a perda de um ente querido, uma doença ou um divórcio podem provocar uma mudança dessas.

Se você permanece no relacionamento, lembre-se de que o fato de *conseguir* lidar com qualquer um não significa que *seja obrigado* a isso. Se está infeliz depois de ter tentado de tudo para que as coisas dessem certo, é provável que esteja na hora de seguir em frente. Romper um relacionamento disfuncional é melhor para você do que ficar preso(a) para sempre à pessoa errada só porque é do tipo seguro.

Se experimentou a perda de uma figura de apego, por qualquer motivo, lembre-se de que a culpa não foi do seu conjunto de crenças e que vale a pena mantê-lo. É melhor encontrar um modo de curar as feridas e manter a esperança de que existem outras pessoas por aí que compartilham da sua necessidade pela intimidade e pela proximidade. Você *consegue* voltar a ser feliz.

## Uma palavra final de reconhecimento aos seguros deste mundo

Antes de conhecermos a teoria do apego, não sabíamos dar o verdadeiro valor aos seguros; às vezes até os considerávamos entediantes. Mas, pelo prisma do apego, passamos a apreciar seus talentos e habilidades. O colega apatetado que mal notamos, com ares de Homer Simpson, de repente se transformou em um sujeito com um talento impressionante para os relacionamentos, que trata sua mulher de forma admirável; e nosso vizinho que nunca sai de casa de repente se torna uma pessoa perceptiva, atenciosa que mantém o equilíbrio emocional de toda a família. Mas nem todos os seguros são caseiros ou apatetados. Você não está baixando seu nível de exigência ao escolher um seguro! Eles aparecem em todos os modelos e formatos. Muitos são bonitos e sensuais. Não importa se são sem graça ou deslumbrantes, aprendemos a apreciá-los pelo que realmente são – os "supercompanheiros" da evolução –, e esperamos que você também os aprecie.

# Parte 3

## Quando os estilos de apego se chocam

8

## *A armadilha ansioso-evitativo*

Quando os dois integrantes de um casal têm necessidades de intimidade conflitantes, é mais provável que o relacionamento seja mais parecido com uma viagem tempestuosa pelo oceano do que com um porto seguro. Aqui estão três exemplos do que queremos dizer.

### Roupa suja

*Janet, 37 anos, e Mark, 40, vivem juntos há quase oito anos. Durante os últimos dois anos, eles vêm tendo uma disputa constante a respeito da compra de uma máquina de lavar. Mark é totalmente a favor – vai poupar muito tempo e energia. Janet é inflexivelmente contra – o apartamento onde moram em Manhattan é minúsculo e encaixar mais um eletrodoméstico vai tornar o estilo de vida deles ainda mais entulhado. Além do mais, da forma como ela vê as coisas, a encarregada de lavar as roupas é ela e por isso não entende por que Mark está fazendo tanto caso. Quando falam sobre o assunto, os dois ficam muito emotivos e a conversa termina com Janet se encolhendo ou com Mark explodindo.*

Qual é o motivo dessa briga?

Para chegar ao verdadeiro problema, vamos acrescentar mais uma informação à equação. Janet lava a roupa nos fins de semana. Para isso, vai para a casa da irmã no outro quarteirão. Nada mais sensato: a irmã tem uma máquina de lavar, é de graça e dá menos trabalho. Ela acaba passando o dia inteiro por lá. Janet tem um estilo de apego evitativo e sempre encontra oportunidades de fazer coisas sem Mark. Para Mark, que tem um estilo de apego ansioso, o desejo pela máquina de lavar é, na realidade, o desejo por algo completamente diferente – o de estar perto de Janet.

Quando observamos a situação por esse ângulo, podemos perceber que a briga pela máquina de lavar é apenas um sintoma do *verdadeiro* problema – o fato de que Mark e Janet têm necessidades muito diferentes no que diz respeito à proximidade e ao desejo de passar tempo juntos.

## FIM DE SEMANA ROMÂNTICO EM VERMONT

*Susan, 24 anos, e Paul, 28, decidem partir em uma viagem de última hora para passar um fim de semana em Vermont. Quando chegam lá, visitam duas pousadas. Os dois lugares são aconchegantes e convidativos. Um deles tem um quarto com duas camas de solteiro e o outro tem uma cama queen. Paul quer o quarto com as duas camas de solteiro porque a vista é espetacular. Susan quer o outro, com a cama grande – não consegue imaginar um fim de semana romântico em que tenha de dormir em camas separadas. Paul desdenha um pouco de Susan. "Dormimos todas as noites na mesma cama. Qual é o problema? Pelo menos podemos aproveitar a paisagem." Susan se sente envergonhada por ter essa forte necessidade de ficar perto de Paul, à noite, mas, mesmo assim, não consegue imaginar os dois dormindo em camas separadas no fim de semana. Nenhum dos dois quer dar o braço a torcer e a discussão ameaça estragar a ocasião.*

De que trata a discordância? Aparentemente, trata-se de uma diferença de gosto relativo aos quartos de hotel. A insistência de Susan parece um tanto extrema. Mas o que você pensaria se soubesse que Paul detesta ficar abraçadinho com Susan antes de irem dormir? E que isso a incomoda imensamente, fazendo com que se sinta rejeitada? E se você soubesse que ela tem certeza de que, com camas separadas, ele vai sair correndo para a sua própria cama assim que o sexo acabar? No contexto mais amplo, ela não parece mais tão pouco razoável. Podemos interpretar sua preocupação como uma necessidade fundamental de proximidade que não é atendida.

## Quando o facebook e problemas com "abandono" se encontram

> *Naomi, 33 anos, e Kevin, 30, têm saído juntos há seis meses, em um relacionamento exclusivo. Existem alguns pontos de discordância que não conseguem resolver. Naomi fica aborrecida porque Kevin não tirou da lista de amigos no Facebook algumas de suas ex-namoradas. Está convencida de que ele flerta com outras mulheres. Por outro lado, Kevin não gosta do fato de Naomi ter o hábito de lhe telefonar sempre que ele sai para beber com os amigos e por isso ignora suas chamadas. Kevin acredita que Naomi tem sérios problemas de abandono e que é ciumenta demais – e diz isso a ela com frequência. Naomi tenta controlar suas torturantes dúvidas e preocupações, mas elas não passam.*

Não existem regras rígidas e inflexíveis quanto a manter ex-namoradas na lista de amigos do Facebook ou a permanecer em contato com elas. Não há certo nem errado quanto a telefonar para o namorado quando ele sai com os amigos. Em certas situações, esses comportamentos podem fazer todo o sentido. Mas as desavenças entre Naomi e Kevin não têm qualquer relação com essas questões, e é por isso que não conseguem chegar a uma solução. O conflito é em torno do nível de proximidade e de compromisso que desejam manter. Kevin, dono de um estilo de apego evitativo, quer manter certa distância entre ele e Naomi, e para isso ele usa diversas estratégias – é discreto sobre suas idas e vindas, mantém contato com antigas paixões apesar do desconforto evidente de Naomi.

Ela, por sua vez, tenta se aproximar de Kevin eliminando as barreiras e as distrações que ele colocou entre os dois. Mas, sem que ele tenha o desejo genuíno de se aproximar, os esforços de Naomi são fúteis. É preciso que dois indivíduos estejam dispostos para que a intimidade seja criada.

* * *

Nos três casos que descrevemos há algo em comum. Enquanto um dos parceiros deseja com intensidade a intimidade, o outro se sente muito pouco à vontade quando os dois ficam próximos demais. Isso costuma acontecer com frequência quando um dos integrantes do vínculo é evitativo e o outro é ansioso ou seguro, mas é mais pronunciado quando um dos parceiros é evitativo e o outro, ansioso.

Pesquisas sobre o apego mostram repetidamente que, quando a necessidade de intimidade é reconhecida e correspondida pelo parceiro, o nível de satisfação aumenta. Por outro lado, necessidades incongruentes de intimidade costumam se traduzir em níveis de satisfação substancialmente mais baixos. Quando os casais discordam sobre o grau de proximidade e de intimidade desejado em um relacionamento, a questão ameaça dominar todo o diálogo. Chamamos essa situação de "armadilha ansioso-evitativo" porque, como em uma armadilha, você cai sem se dar conta e, ao cair, é difícil se libertar.

A razão pela qual pessoas em um relacionamento ansioso-evitativo acham particularmente difícil alcançarem um maior nível de segurança se deve, sobretudo, ao fato de que os dois estão presos em um ciclo de exacerbação das inseguranças mútuas. Dê uma olhada no diagrama na página 151. Quem tem um estilo ansioso (círculo inferior à direita) lida com as ameaças ao relacionamento por meio da ativação do sistema de apego, tentando se aproximar do parceiro. Quem é evitativo (círculo inferior, à esquerda) tem a reação oposta. Essas pessoas lidam com as ameaças por meio da desativação, tomando medidas para se distanciar dos parceiros e "desligar" o sistema de apego. Desse modo, quanto mais o ansioso tenta se aproximar, mais distante o evitativo se torna. Para piorar, a ativação de um parceiro reforça mais a desativação do outro, em um círculo vicioso, e os dois permanecem dentro da "zona de perigo" do relacionamento. Para se dirigirem rumo a mais segurança – a zona segura do diagrama –, os dois precisam encontrar um jeito de se sentirem menos ameaçados, de se ativarem/desativarem menos para que possam sair da zona de perigo.

**A ARMADILHA ANSIOSO-EVITATIVO EM DETALHES**

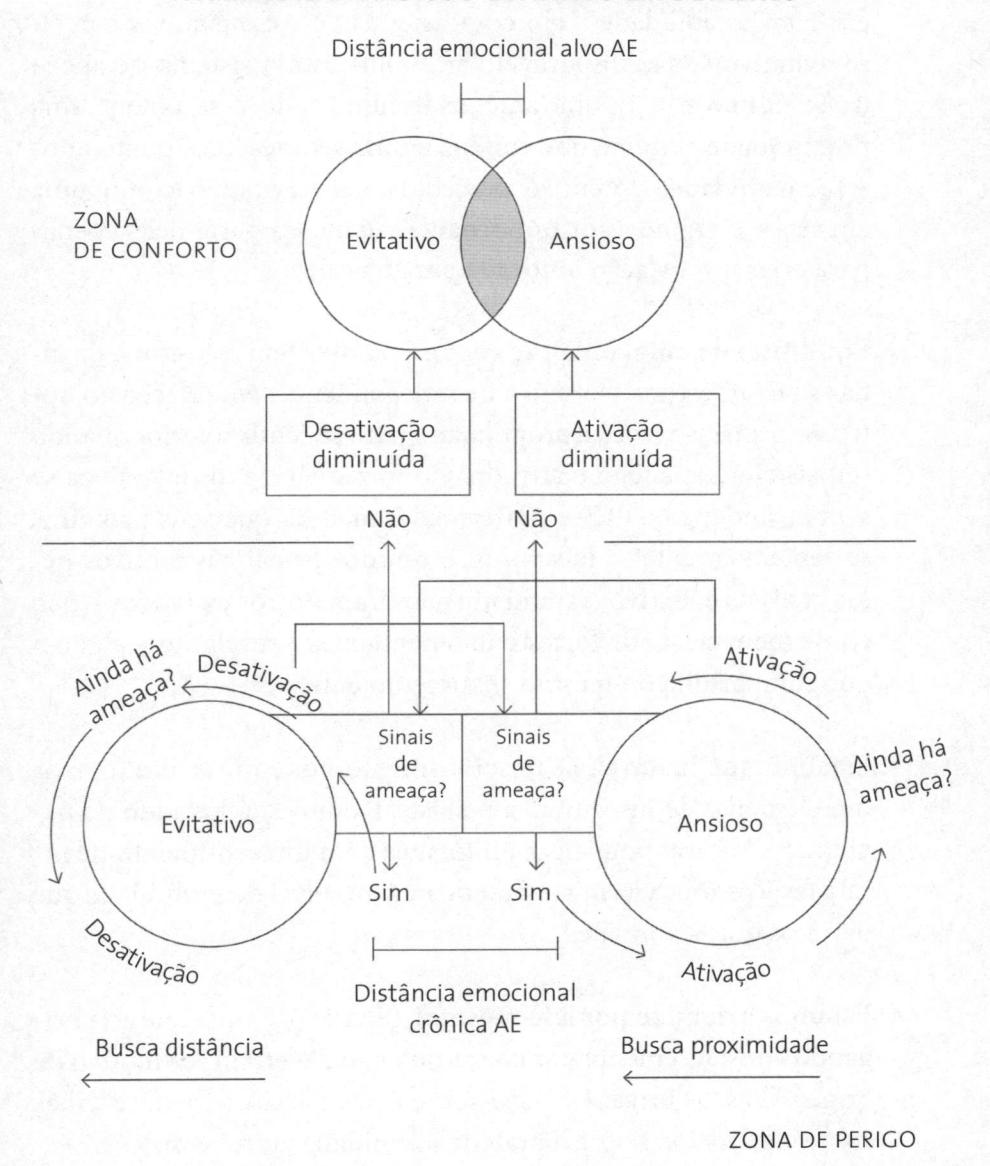

Distância emocional alvo AE

ZONA DE CONFORTO

Evitativo    Ansioso

Desativação diminuída    Ativação diminuída

Não    Não

Ainda há ameaça?    Desativação

Evitativo

Sinais de ameaça?    Sinais de ameaça?

Ansioso

Ativação    Ainda há ameaça?

Sim    Sim

Desativação    Ativação

Distância emocional crônica AE

Busca distância    Busca proximidade

ZONA DE PERIGO

Aqui está o que acontece tipicamente em muitos relacionamentos entre ansiosos e evitativos:

SINAIS GRITANTES DA ARMADILHA ANSIOSO-EVITATIVO

1. **O efeito montanha-russa.** O relacionamento nunca parece navegar com estabilidade. Pelo contrário, às vezes, quando o parceiro evitativo se faz disponível para o ansioso, o sistema de apego deste último é temporariamente tranquilizado e se obtém uma proximidade extrema que conduz a uma sensação de "ponto alto". A proximidade, porém, é percebida pelo evitativo como uma ameaça e é seguida por um distanciamento da parte dele, apenas para criar insatisfação renovada para o ansioso.

2. **Equilibrismo emocional.** Se você é evitativo, tem o costume de inflar sua autoestima e o senso de independência em relação ao outro. Se é ansioso, você é programado para se sentir inferior quando seu sistema de apego é ativado. Com frequência, os evitativos se sentem independentes e poderosos à medida que seus parceiros se sentem carentes e incapazes. É um dos principais motivos pelos quais os evitativos raramente namoram outros evitativos – não conseguem se sentir fortes e independentes em relação a alguém que compartilha do mesmo sentimento deles.

3. **Estabilidade instável.** O relacionamento pode durar muito, mas um elemento de insegurança persiste. Como está ilustrado na página 151, o casal pode ficar junto, mas com um sentimento de insatisfação crônica, sem jamais encontrar o nível de intimidade que deixa os dois à vontade.

4. **Estamos brigando por isso mesmo?** Talvez você sinta que está brigando constantemente por coisas que não deveriam ser motivo de briga. Aliás, as brigas não são sobre essas questões menores, mas sobre algo maior: sobre o grau de intimidade entre os dois.

5. **A vida no círculo íntimo como sendo o inimigo.** Se você é ansioso, descobre que está sendo tratado pior em vez de melhor assim que se torna a pessoa mais próxima do parceiro evitativo. Vamos explorar esse aspecto no próximo capítulo.

6. **Vivenciar a armadilha.** Você desenvolve a sensação terrível de que o relacionamento não é bom, mas se sente emocionalmente ligado demais ao outro para partir.

## Por que é tão difícil conciliar as diferentes necessidades de intimidade?

Se duas pessoas estão apaixonadas, será que não conseguem encontrar um jeito de ficar juntas e resolver suas diferenças? Gostaríamos de que a resposta fosse um simples "sim", mas vemos com frequência que é impossível encontrar uma solução que seja ao mesmo tempo aceitável para o ansioso e para o evitativo, não importa quanto amor sintam um pelo outro. Tipicamente, se o relacionamento cumpre seu curso (mostraremos depois que não precisa ser assim), apesar das diferentes necessidades de intimidade, o parceiro ansioso costuma ser aquele que faz as concessões e aceita as regras impostas pelo evitativo.

Assim, mesmo que o relacionamento prossiga sem interferências e dure muito tempo (de um modo estavelmente instável), sem uma tentativa de conduzi-lo a um lugar seguro, as coisas não costumam melhorar – e podem piorar. Vejamos a seguir os motivos disso.

- As diferenças relativas à intimidade podem vazar para cada vez mais áreas da vida – necessidades radicalmente diferentes não param em questões que parecem triviais como uma pessoa que quer ficar de mãos dadas mais tempo do que a outra. Essas diferenças refletem desejos, premissas e atitudes diametralmente opostas. De fato, elas afetam quase todos os aspectos da vida compartilhada, desde a forma como dormem juntos até o modo como criam os filhos. A cada novo evento no relacionamento (casamento, filhos, mudança para uma casa nova, questões de dinheiro, doenças), essas diferenças básicas se manifestam e o desnível entre os parceiros pode se ampliar à medida que crescem os desafios.

- Com frequência, o conflito fica sem solução porque a própria solução cria intimidade demais. Se você é ansioso ou seguro, você quer realmente encontrar uma resposta para um problema do relacionamento. No entanto, a solução costuma aproximar o casal – e essa é uma situação que o parceiro evitativo não quer encarar, mesmo em um nível inconsciente. Enquanto pessoas com estilos de apego ansioso ou seguro buscam resolver uma discordância para chegar a um nível mais elevado de proximidade emocional, esse resultado é desconfortável para o evitativo, que, na verdade, busca permanecer distante. Para driblar a possibilidade de aproximação, os evitativos tendem a ficar cada vez mais hostis e distantes à medida que as discussões progridem. A menos que haja uma conscientização a respeito do processo em torno de um conflito entre ansioso e evitativo, o distanciamento tende a se repetir e a causar um bocado de infelicidade. Sem lidar com o problema, a situação pode ir de mal a pior.
- A cada choque, o ansioso perde espaço. Durante brigas amargas entre parceiros ansiosos e evitativos, quando não há um sistema seguro de pesos e contrapesos, aqueles com estilo ansioso tendem a ser sobrepujados por emoções negativas. Quando se sentem magoados, eles falam, pensam e agem de modo radical, a ponto de ameaçar partir (comportamento de protesto). No entanto, assim que se acalmam, são invadidos por lembranças positivas e tomados pelo arrependimento. Buscam o parceiro em uma tentativa de reconciliação, mas costumam ser recebidos com hostilidade, pois os evitativos reagem de forma diferente a uma briga. Eles desligam todas as lembranças relacionadas ao apego e se recordam apenas do que há de pior no parceiro.

O que costuma acontecer a essa altura, caso seja ansioso, é que você não apenas deixa de resolver o conflito *original*, mas passa a ficar em uma posição pior do que aquela em que estava no início. Agora, precisa implorar para voltar para o *status quo* inicial, insatisfatório (e com frequência acaba tendo que aceitar menos do que tinha). Qualquer esperança de melhorar a vida do casal vai pelo ralo.

9

*Para escapar da armadilha: como o casal
ansioso-evitativo pode encontrar mais segurança*

Se você descobriu que a maior parte das suas dificuldades advém, na verdade, de necessidades conflitantes de intimidade, o que é possível fazer a respeito?

Talvez uma das descobertas mais intrigantes na pesquisa sobre o apego adulto é que, como vimos, os estilos de apego são estáveis mas maleáveis. Ou melhor, tendem a permanecer consistentes com o passar do tempo, mas também podem mudar. Até agora, descrevemos em detalhes o que acontece com os relacionamentos entre ansiosos e evitativos quando seguem seu curso natural. Em seguida, desejamos oferecer a esses casais uma oportunidade de trabalhar juntos para que se tornem mais seguros.

As pesquisas sobre o apego mostram que os indivíduos tendem a se tornar mais seguros quando estão em um relacionamento com uma pessoa segura. Mas também há esperança para o futuro de um casal no qual nenhum dos dois é seguro. Os estudos descobriram que um *priming* (termo utilizado para se referir a uma pré-ativação) de segurança – lembrar-

-se de experiências passadas que reforçaram a segurança – pode contribuir para que o indivíduo se sinta mais seguro. Quando conseguem se recordar de um relacionamento anterior com alguém seguro ou se inspirar em um modelo de segurança em sua vida, as pessoas costumam ter sucesso em adotar comportamentos mais seguros. À medida que o estilo de apego se torna gradativamente mais seguro, o indivíduo se comporta de forma mais construtiva nos relacionamentos e desfruta até mesmo de mais saúde mental e física. E, se os dois parceiros fizerem isso, os resultados podem ser notáveis.

## Identificando seu modelo integrado de pessoa segura

O *priming* (ou pré-ativação) de segurança pode ser tão simples quanto pensar nas pessoas seguras que o(a) cercam e na forma como se comportam nos relacionamentos. Para encontrar tal modelo, mentalmente passe em revista as diversas pessoas da sua vida, do passado e do presente. A presença segura pode ser de alguém próximo como o pai ou a mãe, ou então um irmão. Ou talvez seja de alguém que você conheceu casualmente no trabalho ou por intermédio de amigos. O que importa é que essa pessoa tenha um estilo de apego seguro e um jeito seguro de lidar com os outros. Assim que tiver encontrado um ou mais desses exemplos, tente invocar imagens ou lembranças do modo como interagem com o mundo: o tipo de coisa que dizem, como agem em situações diferentes, o que escolhem ignorar e como reagem, a forma como se comportam quando o parceiro está abatido e sua visão geral sobre a vida e os relacionamentos. Por exemplo:

> *Uma vez, quando discordei do meu gerente, manifestei-me contra ele com muita veemência. Ele demonstrou um interesse genuíno no que eu tinha a dizer e abriu um diálogo comigo em vez de iniciar um duelo.*

*Meu melhor amigo, Jon, e sua esposa, Laura, estão sempre se encorajando mutuamente a fazer as coisas pelas quais são apaixonados. Quando Laura resolveu deixar o escritório de advocacia e se dedicar ao trabalho social, Jon foi o primeiro a apoiá-la, apesar de a decisão ter um sério impacto financeiro.*

## O relacionamento com seu bichinho de estimação pode servir de modelo de segurança?

Suzanne Phillips, coautora do livro *Healing Together* (Sarando juntos), descreve a ligação com os animais de estimação como uma fonte de inspiração para nossos relacionamentos românticos. No texto, ela ressalta que tendemos a perceber nossas mascotes como criaturas generosas e amorosas, apesar de suas muitas travessuras: nos acordam no meio da madrugada, destroem objetos de valor, exigem atenção integral. Mesmo assim, tendemos a ignorar esses comportamentos e ter sentimentos positivos por elas. De fato, nossa ligação com os animais é um exemplo excelente de presença segura em nossa vida. Podemos nos inspirar em nossas atitudes em relação aos pets como uma base de segurança dentro de nós – não presumimos que os animais querem nos magoar de propósito, não guardamos rancor mesmo quando comem algo que não deviam ou quando fazem bagunça; continuamos a saudá-los carinhosamente quando chegamos em casa (mesmo depois de um dia difícil no trabalho) e ficamos ao lado deles em qualquer circunstância.

Examine todos os exemplos seguros que conseguir encontrar e resuma as características que você gostaria de adotar. Isto se tornará seu modelo integrado de pessoa segura. É o ponto aonde você quer chegar.

## Reformulando seus modelos internos de funcionamento

Nas pesquisas sobre o apego, a expressão "modelos internos de funcionamento" descreve nosso sistema básico de crenças quando se trata de relacionamentos românticos – o que empolga, o que frustra, suas atitudes e expectativas. Em resumo, o que envolve você nos relacionamentos. É útil compreender os pontos fortes e fracos de seu modelo como um primeiro passo na identificação de padrões de pensamentos, sentimentos e ações que o(a) impedem de se tornar mais seguro(a).

### *Crie seu inventário dos relacionamentos*

A primeira coisa a fazer, portanto, é se conscientizar do modelo de funcionamento interno que governa seus relacionamentos. É possível que você tenha uma boa ideia sobre seu estilo de apego a partir de tudo o que leu até aqui. No entanto, o inventário de relacionamentos ajudará você a ver com mais clareza como seu estilo de apego afeta seus pensamentos, sentimentos e comportamentos cotidianos em situações românticas.

O inventário acompanhará você por relacionamentos do passado e do presente sob o prisma do apego. Pesquisas no mecanismo molecular da memória e do aprendizado revelam que, quando nos lembramos de uma cena – ou recuperamos determinada memória da nossa mente consciente –, nós a desfazemos e assim a alteramos para sempre. Nossas lembranças não são como velhos livros em uma biblioteca, empoeirados e imutáveis. Pelo contrário, são uma espécie de entidade que vive e respira. O que nos lembramos hoje do nosso passado é na verdade o resultado de um processo de edição e reformulação que ocorre ao longo de anos, sempre que voltamos a pensar em uma lembrança em particular. Em outras palavras, nossas experiências atuais moldam a forma como vemos o passado. Ao criar seu próprio inventário de apegos, você vai reexaminar as lembranças que carrega de relacionamentos passados a partir de um ponto de vista novo. Ao examiná-los sob as lentes do apego, você poderá alterar algumas crenças pouco úteis que se baseiam nessas memórias em particular e, ao fazê-lo, pode reformular seu modelo de funcionamento interno, deixando-o mais seguro.

Nas páginas 162 e 163 você encontrará o inventário de relacionamentos. O inventário é uma tarefa para ser feita a sós. Reserve bastante tempo em um momento em que não seja interrompido para se dedicar a ele e obter realmente um retrato completo e acurado de si sob a perspectiva do apego. Comece com uma lista das pessoas com quem você teve um relacionamento amoroso no passado e no presente. Ela inclui pessoas com quem você saiu por um curto período. Sugerimos trabalhar de forma vertical, uma coluna por vez. Completar o inventário desse modo encoraja você a se concentrar menos em cada situação específica e a obter uma imagem integrada de seu modelo de funcionamento interno nos relacionamentos. Quanto mais informações reunir, melhor. Na coluna 2, escreva o que se lembra do relacionamento: como é/era e o que chama mais atenção quando você tenta rememorar momentos que passaram juntos. Assim que escrever suas lembranças gerais, a coluna 3 permite que você olhe mais de perto e identifique as situações específicas que contribuem ou contribuíam para a ativação/desativação do seu sistema de apego. A coluna 4 pergunta como você reagiu a essas situações. O que fez? No que estava pensando? Como se sentiu? As listas depois do inventário servem para ajudar você a se recordar de tais reações.

O passo seguinte, crucial, é a coluna 5. Você vai precisar reavaliar essas experiências sob a perspectiva do apego para ganhar uma maior percepção sobre as questões que afetam ou afetavam seus relacionamentos. Que questões de apego se ocultam por trás de suas reações: comportamento de protesto? Desativação? Use as listas como uma referência. Na coluna 6, considere o modo como suas reações – agora traduzidas nos princípios do apego – machucam você e como interferem na sua felicidade. Por fim, a coluna 7 estimula a pensar em formas novas e seguras para lidar com essas situações usando um modelo capaz de enfatizar a segurança na sua vida e com os princípios seguros que delineamos neste livro (e no quadro na página 168).

## INVENTÁRIO DE RELACIONAMENTOS

| 1. Nome do(a) parceiro(a) | 2. Como é/era o relacionamento? Que padrões recorrentes você consegue identificar? | 3. Situações que deflagram ou deflagravam a ativação ou a desativação do sistema de apego | 4. Minhas reações (pensamentos, sentimentos, atos) |
|---|---|---|---|
| | | | |
| | | | |
| | | | |
| | | | |
| | | | |
| | | | |
| | | | |
| | | | |
| | | | |

| Modelos ou princípios de funcionamento interno de apego inseguro | 6. Como perco ao sucumbir a esses modelos/princípios | 7. Identifique um modelo de segurança relevante para essa situação e os princípios seguros a adotar. De que forma o outro é relevante? |
|---|---|---|
| | | |
| | | |
| | | |
| | | |
| | | |
| | | |
| | | |
| | | |
| | | |

## Pensamentos, emoções e reações comuns aos ansiosos

### Pensamentos

- Telepatia. Ou melhor, sei que ele(a) vai me deixar.
- Nunca encontrarei outra pessoa.
- Sabia que era bom demais para durar.
- Raciocínio do tipo tudo ou nada: arruinei tudo, não há nada que eu possa fazer para consertar a situação.
- Ele(a) não pode me tratar desse jeito!
- Sabia que algo daria errado. Nada funciona para mim.
- Tenho que falar com ele(a) imediatamente.
- Melhor que ele(a) venha se arrastando para implorar o meu perdão, caso contrário pode me esquecer para sempre.
- Talvez, se eu me arrumar toda ou agir de forma sedutora, as coisas funcionem.
- Ele(a) é tão incrível, por que iria querer ficar comigo?
- Lembrar-se de todas as coisas boas que o outro já fez e disse, depois de uma briga.
- Lembrar-se apenas das coisas ruins que o outro já fez durante uma briga.

### Emoções

- Tristeza
- Raiva
- Medo
- Ressentimento
- Frustração
- Depressão
- Desesperança
- Desespero
- Ciúme
- Hostilidade
- Vingança
- Culpa
- Ódio de si mesmo
- Irritação
- Desconforto
- Humilhação

- Ira
- Insegurança
- Agitação
- Rejeição

- Baixa autoestima
- Solidão
- Incompreensão
- Inferioridade

## Atos

- Fazer cena.
- Tentar restabelecer contato a qualquer custo.
- Começar uma briga.
- Esperar que façam o primeiro gesto para a reconciliação.
- Ameaçar partir.
- Agir de forma hostil – revirar os olhos, demonstrar desdém.
- Tentar provocar ciúmes no outro.
- Agir como se estivesse ocupado(a) ou inacessível.
- Recolher-se – parar de falar com o outro ou se afastar fisicamente.
- Agir de modo manipulativo.

## Pensamentos, emoções e reações comuns nos evitativos

### Pensamentos

- Raciocínio tudo ou nada: sabia que não era a pessoa certa para mim, a prova está aí!
- Afirmações generalizantes: sabia que não fui feito(a) para um relacionamento tão próximo.
- Ele(a) está tomando conta da minha vida. Não aguento!
- Agora tenho que fazer tudo do jeito dele(a). O preço é alto demais.
- Preciso sair daqui. Eu me sinto sufocado(a).
- Se ele(a) fosse a "pessoa certa", esse tipo de coisa não aconteceria.

- Quando estava com o(a) ex "fantasma" isso não acontecia.
- Intenção maliciosa: ele(a) está querendo me irritar, é tão óbvio...
- Ele(a) quer me prender. Não é amor verdadeiro.
- Fantasiar sobre sexo com outras pessoas.
- Ficarei melhor sozinho(a).
- Eca, como é carente! É patético(a).

## Emoções

- Retraimento
- Frustração
- Raiva
- Pressão
- Baixa autoestima
- Incompreensão
- Ressentimento
- Hostilidade
- Indiferença
- Vazio

- Decepcção
- Tensão
- Ódio
- Presunção
- Desprezo
- Desespero
- Desdém
- Irritação
- Desconfiança

## Atos

- Fazer cena.
- Levantar-se e ir embora.
- Menosprezar o(a) parceiro(a).
- Agir com hostilidade, demonstrar desdém.
- Fazer comentários críticos.
- Recolher-se mentalmente e fisicamente.
- Minimizar o contato físico.
- Manter no menor nível possível o compartilhamento emocional.
- Parar de ouvir o outro. Ignorá-lo.

## Princípios do apego possivelmente em jogo

### Ansioso

- Comportamento de protesto.
- Estratégias de ativação – qualquer pensamento, sentimento ou comportamento que resultará no desejo aumentado de voltar a manter contato.
- Colocar o outro em um pedestal.
- Sentir-se pequeno ou inferior em comparação ao outro.
- Ver/lembrar somente do que há de melhor no outro depois de uma briga (esquecendo o lado negativo).
- Confundir um sistema de apego ativado com amor.
- Viver na zona de perigo (veja o gráfico na pág. 86).
- Viver em uma montanha-russa emocional – viciar-se nos altos e baixos.

### Evitativo

- Estratégias de desativação.
- Confundir autossuficiência com independência.
- Inflar sua própria importância e sua autoestima enquanto diminui o outro.
- Ver apenas o lado negativo do outro, ignorando o lado positivo.
- Presumir uma intenção maliciosa nos atos do outro.
- Desconsiderar as deixas emocionais do outro.
- Sofrer pelo(a) ex "fantasma".
- Fantasiar sobre a "pessoa certa".
- Reprimir sentimentos e emoções amorosos.

## Exemplos de princípios seguros

- Estar disponível.
- Não interferir.
- Ser encorajador(a).
- Comunicar-se com eficácia.
- Não fazer joguinhos.
- Considerar-se responsável pelo bem-estar do outro.
- Deixar claros seus sentimentos – ser corajoso(a) e honesto(a) nas interações.
- Concentrar-se no problema do momento.
- Não fazer grandes generalizações durante um conflito.
- Apagar a chama antes de se tornar um incêndio descontrolado – cuide do mal-estar do outro antes que cresça demais.

\*\*\*

Às vezes pode ser útil examinar o inventário com uma pessoa designada para observar o apego (PDOA), como um parente, um amigo próximo ou um terapeuta. Ter a possibilidade de recorrer a alguém familiarizado com seus padrões quando seu sistema está sobrecarregado e sua capacidade de julgamento é prejudicada pela ativação/desativação pode lhe dar uma perspectiva nova e diferente. Seu PDOA pode lembrar você de suas tendências destrutivas de apego e fazer com que se dirija a um espaço mental mais seguro antes que você faça algo que prejudique o relacionamento.

Se concluiu o inventário de relacionamentos, você identificou seu modelo interno de funcionamento e as formas pelas quais ele pode interferir na sua felicidade e na sua produtividade. É provável que já tenha reconhecido padrões recorrentes em seus relacionamentos e no modo como você e seus parceiros (atuais ou antigos) se provocam. Pode até mesmo fazer um resumo.

## *Meu modelo de funcionamento interno – resumo do inventário*

Você consegue identificar situações específicas em que fica predisposto(a) a ativar (se for do tipo ansioso) ou desativar (se for do tipo evitativo) seu sistema de apego em seus relacionamentos?

- _____
- _____
- _____

Consegue detectar formas como um modelo de funcionamento interno ineficiente tem impedido você de obter mais segurança?

- _____
- _____
- _____

Quais são os mais importantes princípios de apego que estão em jogo em seus relacionamentos?

- _____
- _____
- _____

Volte ao seu inventário e pergunte-se como as pessoas que você selecionou como seus modelos seguros (ou o modelo integrado seguro) podem lançar nova luz nas questões de relacionamento com que você está lidando.

- O que fariam se estivessem passando por essa situação?
- Que perspectiva colocariam na mesa?
- O que diriam a você se soubessem que você está lidando com essa questão?
- Como sua experiência com elas se torna relevante nessa situação?

A resposta a essas perguntas ajudará você a completar a última – e crucial – coluna do inventário.

Os dois exemplos apresentados a seguir permitirão que você compreenda mais claramente como essa abordagem pode funcionar e como utilizar o inventário.

## A mensagem salvadora

Quando entrevistamos Georgia e Henry para o livro, os dois estavam discutindo constantemente. Segundo Henry, nada que ele fazia era suficientemente bom para Georgia e ele sempre era julgado e criticado. Georgia, por sua vez, acreditava que o ônus do casamento recaía sobre ela. Tinha que correr atrás de Henry para fazer o mais simples dos planos e precisava sempre ter a iniciativa em tudo – desde a compra de um presente de aniversário para a mãe dele até a decisão sobre o apartamento que alugariam. Ela se sentia muito solitária. Quando encorajamos Georgia a monitorar seu modelo de funcionamento interno, que era claramente ansioso, ela levantou uma situação específica que acontecia com frequência e que sempre a aborrecia. Henry nunca tinha tempo para conversar com ela nos dias úteis. Ela ligava, deixava recado, mas ele raramente retornava a chamada. O inventário de Georgia incluía o seguinte registro:

| 1. Nome do(a) parceiro(a) | 2. Como é/era o relacionamento? Que padrões recorrentes você consegue identificar? | 3. Situações que deflagram ou deflagravam a ativação ou a desativação do sistema de apego | 4. Minhas reações (pensamentos, sentimentos, atos) |
|---|---|---|---|
| Henry | Sinto que estou sozinha e desamparada neste relacionamento. Estou cansada de fazer a maior parte do trabalho por conta própria. | Quando Henry não retorna minhas ligações durante o dia de trabalho. | Sinto-me ansiosa e agitada. Fico pensando se fiz algo de errado para deixar Henry zangado.<br><br>Nó no estômago.<br><br>Ligo sem parar ou me obrigo a esperar que ele me telefone.<br><br>Ajo com hostilidade quando ele telefona. |

| 5. Modelos ou princípios de funcionamento interno de apego inseguro | 6. Como perco ao sucumbir a esses modelos/princípios | 7. Identifique um modelo de segurança que é relevante para essa situação e os princípios seguros a adotar. De que forma o outro é relevante? |
|---|---|---|
| *Ativação*: o sentimento de ansiedade, agitação e a necessidade de falar com Henry NESTE EXATO INSTANTE. Isso tudo é a forma com que meu sistema de apego me faz permanecer próxima dele.<br><br>*Comportamento de protesto*: agir com hostilidade quando Henry telefona é meu jeito de fazer com que ele preste atenção em mim e tente fazer as pazes. | Em vez de me conectar a Henry, acabo brigando com ele.<br><br>Além disso, ficar me preocupando com a disponibilidade dele prejudica minha atenção no trabalho – e isso acontece mesmo sabendo que ele me ama. | Debbie, minha terapeuta e uma grande presença segura em minha vida, me disse para ligar para ela sempre que eu estiver transtornada. Ela disse: "Georgia, prefiro passar dez minutos ao telefone com você a ter você transtornada o dia inteiro." Nunca liguei. O importante era sua disponibilidade.<br><br>Acho que não preciso realmente falar com Henry tantas vezes. Minha verdadeira necessidade é saber que ele está disponível e conectado a mim.<br><br>Ao telefonar para Henry toda hora, estou também violando a regra de não interferência da base segura. |

\*\*\*

Henry, que tem um estilo evitativo, estava ocupado com seus pacientes e ficava frustrado com os telefonemas de Georgia e suas mensagens de texto. Quando retornava as chamadas, o diálogo começava com uma nota azeda que afetava toda a conversa. O inventário dele era assim:

| 1. Nome do(a) parceiro(a) | 2. Como é/era o relacionamento? Que padrões recorrentes você consegue identificar? | 3. Situações que deflagram ou deflagravam a ativação ou a desativação do sistema de apego | 4. Minhas reações (pensamentos, sentimentos, atos) |
|---|---|---|---|
| Georgia | Nunca há paz e tranquilidade em nosso relacionamento. Georgia exige muita atenção. | Os repetidos telefonemas e mensagens de Georgia quando estou ocupado. | Sinto-me frustrado.<br><br>Fico com raiva pensando em como Georgia é carente.<br><br>Desligo o telefone ou atendo em um tom seco e irritado. |

| 5. Modelos ou princípios de funcionamento interno de apego inseguro | 6. Como perco ao sucumbir a esses modelos/princípios | 7. Identifique um modelo de segurança relevante para essa situação e os princípios seguros a adotar. De que forma o outro é relevante? |
|---|---|---|
| *Desativação*: encaro Georgia como carente e excessivamente dependente.<br><br>Esqueço-me de que ela não está tentando me pegar e que me ama e se importa comigo.<br><br>*Isolamento*: Distancio-me desligando o telefone ou sendo hostil quando conversamos. | Quando chego em casa e Georgia está transtornada, eu me sinto culpado.<br><br>Além disso, com frequência ela telefona por um bom motivo (para saber, por exemplo, qual o restaurante que eu gostaria que reservasse para a noite). Eu perco quando a ignoro. | Meu chefe e a esposa sempre se procuram. Formam um casal poderoso no hospital... os dois são chefes de departamento. Ela chega a telefonar para garantir que ele reserve tempo suficiente para praticar exercícios. Os dois colaboram para o progresso mútuo.<br><br>Estou também violando a regra da "disponibilidade" da base segura. Preciso encontrar um modo de estar disponível para Georgia quando ela precisar de mim. |

\*\*\*

Assim que analisaram seus modelos de funcionamento interno, Georgia e Henry começaram a encarar a situação de forma diferente. Henry percebeu que, ao ignorar as necessidades da esposa e ridicularizar sua dependência, ele só piorava as coisas e gerava infelicidade no relacionamento. Georgia percebeu que, ao usar o comportamento de protesto, ela na verdade se distanciava de Henry em vez de fazer com que ele desejasse estar mais presente, como ela queria. Quando começaram a conversar sobre esse problema recorrente, os dois ficaram mais bem preparados. Henry disse que, apesar de pensar nela durante o dia, ficava tão ocupado que simplesmente não tinha tempo de parar e telefonar. Para Georgia, foi reconfortante ouvir que Henry pensava nela quando os dois não estavam juntos. Ela também compreendia sua agenda ocupada, sabia apenas que precisava se sentir mais conectada com ele durante o dia.

Então encontraram uma solução bacana. Henry perguntou se ela gostaria de que ele mandasse uma mensagem de texto (que ele já deixaria escrita) sempre que pensasse nela. Só levaria um instante do dia e reduziria em muito a angústia de Georgia. Essa solução fez muito bem ao relacionamento. Georgia, recebendo um recado que dizia "estou pensando em você", conseguia se acalmar e se concentrar melhor no trabalho. Já Henry se sentiu menos ressentido ao perceber que Georgia não tinha a intenção de destruir sua carreira por não parar de incomodá-lo durante o dia de trabalho. De fato, ao invocar o relacionamento especial que o chefe mantinha com a esposa, ele conseguiu ver como uma base segura poderia contribuir para o progresso da sua carreira. À noite, quando se encontravam, a tensão tinha desaparecido e a hostilidade e a carência não estavam mais lá.

## O incidente da pasta de dentes

Sam queria muito que Grace fosse morar com ele quando ela se mudou para Nova York. Os dois já estavam juntos havia dois anos e ele pensou que seria bom levar o relacionamento para um patamar mais alto. Além do mais, ficavam na casa do outro o tempo todo e imaginem só quanto poderiam poupar de aluguel! Grace preferia não se mudar para o apartamento de Sam. Achava melhor alugar um lugar maior onde os dois pudessem começar a vida juntos em pé de igualdade. Mas Sam se recusava. Adorava seu apartamentinho e não via motivo para gastarem dinheiro já que ele tinha um imóvel próprio. Ele estava certo de que os dois conseguiriam fazer a relação funcionar. Porém, sentia alguma hesitação. Nunca tinha vivido com outra pessoa e era muito rígido em relação a certos padrões. Mas, com o passar dos anos, também percebera a solidão que acompanha a autossuficiência e queria algo mais. Então, quando Grace se mudou, Sam começou a sentir a pressão aumentando. Às vezes, tinha a sensação de que ia sufocar. As coisas de Grace estavam por toda parte. Era como se estivesse perdendo seu santuário tranquilo enquanto a casa, literalmente, sofria uma invasão. Por fim, ele perdeu a cabeça – por causa da pasta de dentes. Grace sempre espremia o tubo pelo meio; já ele fazia questão de espremer de baixo para cima. Ao reparar no tubo deformado, ficou furioso e disse que ela era relaxada e descuidada. Grace foi pega no contrapé. Vinha se esforçando muito para tornar sua presença no apartamento o mais discreta possível e o ataque era a última coisa que ela esperava.

    Um pouco mais tarde, depois de pensar no que estava acontecendo, Sam fez as seguintes revelações:

| 1. Nome do(a) parceiro(a) | 2. Como é/era o relacionamento? Que padrões recorrentes você consegue identificar? | 3. Situações que deflagram ou deflagravam a ativação ou a desativação do sistema de apego | 4. Minhas reações (pensamentos, sentimentos, atos) |
|---|---|---|---|
| Grace | Achei que nos entendíamos bem, mas agora não estou tão certo. Talvez eu não tenha sido feito para morar com outra pessoa. | Grace instalando-se no meu apartamento, promovendo mudanças, fazendo as coisas do seu jeito – a história com o tubo de pasta de dentes foi a gota d'água. | Ficar perturbado e zangado.<br><br>Achar que morar com Grace foi um tremendo erro – sinto-me como um estranho no meu próprio lar. Estou encurralado.<br><br>Encontrar defeito em tudo o que Grace faz. Penso em como ela é incompetente.<br><br>Passar muito tempo de mau humor. |

| 5. Modelos ou princípios de funcionamento interno de apego inseguro | 6. Como perco ao sucumbir a esses modelos/princípios | 7. Identifique um modelo de segurança relevante para essa situação e os princípios seguros a adotar. De que forma o outro é relevante? |
|---|---|---|
| *Desativação*: encarar Grace como uma pessoa incompetente e invasiva.<br><br>Reprimir sentimentos amorosos – esquecer como vivermos juntos era importante para mim e como fui infeliz e solitário no passado. | Quero que ela faça tudo do meu jeito na casa, o que a deixa tensa e a tensão é contagiante.<br><br>Estou colocando em risco meu relacionamento com Grace e ferindo a única parceira com quem realmente me importei.<br><br>Morar sozinho será como voltar para a estaca zero. Eu era solitário e infeliz. Foi por isso que procurei a terapia. Foi por meio do meu trabalho na terapia que consegui começar esse relacionamento. | Meu terapeuta disse que é para eu dar tempo ao tempo, sem fazer grandes declarações (como afirmar que não fui feito para a vida a dois). É uma adaptação.<br><br>Meu melhor amigo vive com sua parceira há mais de um ano. Saem juntos para fazer compras de mercado e também dividem outras tarefas domésticas. Sentia muita inveja deles antes de Grace vir morar comigo.<br><br>Estou violando a regra da não interferência da base segura. Esse é um lugar novo para ela. Preciso lhe oferecer apoio e não fazer com que se sinta mal. |

E o registro de Grace era o seguinte:

| 1. Nome do(a) parceiro(a) | 2. Como é/era o relacionamento? Que padrões recorrentes você consegue identificar? | 3. Situações que deflagram ou deflagravam a ativação ou a desativação do sistema de apego | 4. Minhas reações (pensamentos, sentimentos, atos) |
|---|---|---|---|
| Sam | Não sei o que aconteceu ultimamente. Nós nos dávamos tão bem, mas desde que me mudei ele anda distante, agindo de um modo cruel. Eu sabia que devíamos ter arranjado um lugar que fosse novo para nós dois. | Morar com ele e ser constantemente criticada. | Sinto que tudo o que faço está errado.<br><br>Estou convencida de que ele não me ama mais.<br><br>Por que fui morar com ele? Tenho sido obrigada a agir como se fosse uma hóspede na minha própria casa. Estou encurralada.<br><br>Sinto-me muito inadequada.<br><br>Sou assim tão descuidada?<br><br>Acho que não conseguiremos sobreviver a isso. Provavelmente vamos nos separar em breve. |

| 5. Modelos ou princípios de funcionamento interno de apego inseguro | 6. Como perco ao sucumbir a esses modelos/princípios | 7. Identifique um modelo de segurança relevante para essa situação e os princípios seguros a adotar. De que forma o outro é relevante? |
|---|---|---|
| Generalizar uma situação específica como se fosse o relacionamento inteiro.<br><br>Desvalorizar-me.<br><br>Chegar a conclusões precipitadas, como: "O relacionamento acabou."<br><br>Estar imersa em lembranças e emoções negativas. | Mais uma vez criarei uma profecia autorrealizável. Agirei de modo hostil e ficarei perturbada e desagradável até que o relacionamento realmente termine.<br><br>Não consigo pensar em uma solução específica quando vejo as coisas de modo tão extremo. | Minha irmã fez uma boa observação: ela disse que Sam mora e trabalha em casa e que eu passo um bocado de tempo por lá. Talvez seja tempo demais assim tão de repente. Não vai nos fazer mal ter uma zona neutra para, aos poucos, nos acostumarmos com a ideia de morar juntos. As pessoas precisam de tempo para se adaptar.<br><br>Ela disse que quando foi morar com o marido os dois também passaram por um período de ajustes.<br><br>Estou violando a regra do apoio da base segura. Preciso dar mais apoio. É mais difícil para ele do que para mim. |

Depois de fazer o inventário, Sam percebeu que todos aqueles anos morando sozinho e acreditando na sua autossuficiência estavam sendo contestados. Ele estava abalado e conversou com Grace sobre o que tinha acabado de compreender. Grace percebeu que se sentia ameaçada pelas dificuldades de Sam em se adaptar à sua presença. Também compreendia como estava interpretando a situação e reagindo de um modo que era danoso ao relacionamento. Ela gostou da ideia da irmã sobre uma zona neutra. Como uma grande amiga de Grace ia ficar fora da cidade durante seis meses, Grace sugeriu sublocar o conjugado da amiga para ter espaço para fazer seu trabalho artístico e se dedicar a outros hobbies sem se preocupar com a reação de Sam. Sam ficou surpreso com a sugestão; fez uma imensa diferença para ele saber que Grace tinha uma alternativa. De repente, não se sentia mais sufocado e se incomodava menos com as mudanças feitas por ela. Depois de seis meses, período em que Grace mal pôs os pés no apartamento sublocado, ela não se deu o trabalho de procurar outro – ela e Sam tinham se adaptado à vida em comum.

## Tornar-se seguro é um processo de crescimento contínuo

Lembre-se de que os estilos de apego são estáveis e maleáveis – tornar-se mais seguro é um processo contínuo. Quando uma nova preocupação, insatisfação ou conflito ocorrer, registre a nova informação. Isso vai ajudar na sua missão de romper os padrões inseguros. Mas caminhar rumo à segurança não é apenas uma questão de enfrentar os problemas no relacionamento. O processo também tem a ver com divertirem-se juntos, encontrar formas de desfrutar o tempo como casal – uma caminhada na praça, um filme seguido de um jantar, assistir a um programa de televisão de que os dois gostem – e criar ocasiões para ficarem fisicamente juntos. Livrar-se de seu modelo de funcionamento interno inseguro fará maravilhas para sua capacidade de funcionar no mundo em geral. A Dra. Sue Johnson, fundadora da Terapia Focada nas Emoções (TFE), demonstrou com seu trabalho clínico e escrito que a criação da genuína segurança no relacionamento e o reconhecimento de que você é emocionalmente dependente do parceiro em todos os níveis são a melhor forma de aprimorar o vínculo amoroso. Outro pioneiro na área de apego aplicado é o Dr. Daniel Siegel, que em seus numerosos livros (como *A mente em desenvolvimento*, *Parentalidade consciente* e *O poder da visão mental*, entre outros) ajuda as pessoas a ganhar segurança. Por meio de uma técnica singular, ele ensina indivíduos com apego inseguro a narrar sua história de um modo seguro. A capacidade de se recordar das memórias da infância e de seus relacionamentos com os cuidadores principais, de um modo coerente, tem efeitos notáveis. O processo ajuda você a se tornar um pai ou uma mãe melhor, melhorando sua capacidade de reflexão e aprimorando outras áreas da sua vida.

Quando se constrói um relacionamento seguro, os dois indivíduos ganham: se você é o parceiro ansioso, você obtém a proximidade que tanto anseia; se você é o parceiro evitativo, desfrutará bem mais da independência de que precisa.

## E SE A META DA SEGURANÇA NÃO FOR ALCANÇADA?

O que acontece se, apesar de todos os seus esforços para tirar o relacionamento "da armadilha" e do círculo vicioso da insegurança, você não conseguir? Isso pode acontecer por não haver um desejo genuíno de mudança da parte de um dos parceiros – ou dos dois – ou porque suas tentativas dão errado. Acreditamos que, quando as pessoas estão em um relacionamento ansioso-evitativo, em especial quando não conseguem se deslocar para uma segurança maior, essas discrepâncias sempre serão parte da vida delas e nunca desaparecerão por completo. Mas também acreditamos com firmeza que o conhecimento tem poder. E pode ser muito valioso saber que as dificuldades constantes do casal não ocorrem porque os dois são malucos e sim porque o relacionamento tem um conflito interno que não vai desaparecer.

Um dos maiores benefícios proporcionados por essa descoberta tem relação com a percepção de si mesmo. As colisões na intimidade são muito destrutivas para o parceiro não evitativo, que está sendo constantemente afastado pelo evitativo. Podemos ver que isso acontece nos exemplos que mencionamos em todo o livro, em comportamentos como: manter um alto nível de discrição e depois culpar o outro por ser ciumento e carente; em preferir camas separadas e encontrar formas de passar menos tempo juntos. Se você está com alguém de estilo evitativo, você está sendo constantemente rejeitado(a) e repelido(a). Depois de experimentar essas estratégias de distanciamento por algum tempo, você começa a se culpar. Talvez ache que, se seu parceiro estivesse com outra pessoa, ele agiria de forma diferente; que ele certamente desejaria ficar mais próximo se estivesse em um relacionamento com outra pessoa. Começa a se sentir pouco atraente e inadequado(a).

Compreender que as brigas infindáveis na verdade carregam um subtexto – realmente insolúvel – muda de forma radical sua percepção sobre o seu próprio papel. Assim que compreende que seu parceiro sempre encontrará áreas de conflito como recurso para se manter a distância e que ele sempre precisará se isolar, não importa com quem esteja, você deixará de se culpar pelos problemas do relacionamento.

Ao menos superficialmente, parece que o evitativo se machuca menos, pois o isolamento é uma manobra unilateral que não exige a cooperação do outro. Embora pareça não se perturbar, é importante aprender que indiferença não é a mesma coisa que segurança. As pessoas com estilo evitativo precisam suprimir ativamente suas necessidades de apego, mas tendem a relatar que são menos felizes nos relacionamentos. No entanto, costumam atribuir essa infelicidade ao outro.

Mas como as pessoas vivem com essa compreensão?

Quando entrevistamos Alana, ela nos contou do seu relacionamento com o seu ex-marido, Stan. Relatou como foram capazes de encontrar alguma estabilidade desde que Stan trabalhasse a maior parte do tempo e que, nos fins de semana, eles se dedicassem a diversas tarefas separados e passassem pouco tempo livre juntos. Mas as coisas ficavam mais difíceis sempre que Alana pedia uma viagem romântica de fim de semana, na esperança de que isso pudesse promover uma aproximação. Nessas ocasiões, Stan sempre encontrava uma desculpa para não ir. Os dois mantinham um ritual que consistia em Alana contar para os amigos e colegas de trabalho que ela e Stan viajariam no fim de semana. Ela ficava empolgada, fazia planos e começava a fazer a mala. Dias depois, ligava para os amigos parecendo derrotada e exausta para dizer que algo havia acontecido no último minuto e que eles não tinham viajado. Uma vez foi por causa do trabalho dele, na outra ele não estava se sentindo bem e, em uma terceira ocasião, o carro precisava de reparos. Em seguida, tinham uma tremenda briga e as coisas se acalmavam – até a briga seguinte. Para Alana, encher-se de esperanças e se decepcionar seguidas vezes era uma experiência dolorosa.

Por fim, o relacionamento com Stan acabou. Ela nunca compreendeu muito bem que as brigas com ele eram sobre algo bem mais fundamental do que uma viagem de fim de semana (ou mesmo sobre romance). Eram, na verdade, sobre uma grande barreira que ele colocava entre os dois. E ainda que Alana soubesse disso em um nível mais profundo, ela não era capaz de aceitar essa realidade nem de viver com ela.

Outras pessoas encontram um jeito de viver em relativa paz com necessidades de intimidade conflitantes. Como conseguem? Aceitam o fato de que as coisas não vão mudar em relação a determinados aspectos do relacionamento. Compreendem que podem viver uma vida de Sísifo, de constante decepção e frustração, uma vida em que estarão lutando perpetuamente uma batalha perdida, ou podem mudar suas expectativas. Aprendem a aceitar certas limitações e adotam estratégias pragmáticas para viver.

- Admitem para si mesmos que, sob certos aspectos, o companheiro nunca será um parceiro ativo e param de insistir que ele mude.
- Param de se ofender quando o companheiro os afasta e aceitam que esta é simplesmente a *natureza* do outro.
- Aprendem a fazer sozinhos coisas que anteriormente esperavam fazer com o parceiro.
- Relacionam-se com amigos com gostos parecidos nas atividades de que o companheiro não está disposto a participar.
- Aprendem a ser gratos pelo que o companheiro *faz* e a ignorar o que ele *não faz*.

Conhecemos casos incontáveis de pessoas que, depois de enfrentar conflitos contínuos sobre a intimidade, mudaram seu modo de pensar e chegaram a um acordo com o qual conseguem viver. Vejamos alguns deles a seguir.

- **Doug, 53 anos**, ficava furioso com a esposa todos os dias quando ela chegava em casa horas depois do esperado. Finalmente resolveu parar de se enfurecer quando ela aparecia e passou a saudá-la calorosamente. Tomou uma decisão consciente de tornar o lar um local para onde ela *gostaria* de voltar, e não um campo de batalhas.
- **Natalie, 38 anos**, sempre sonhou em dividir as horas de lazer com o marido. Depois de anos de ressentimentos e de brigas amargas por ele se recusar a passar os fins de semana ao seu lado, ela decidiu mudar. Hoje, ela faz planos para si mesma. Se ele quiser acompanhá-la (o que raramente acontece), é bem-vindo. Caso contrário, é "até logo, nos vemos mais tarde".
- **Janis, 43 anos**, é casada com Larry. Larry, que já tinha sido casado antes, não desempenha um papel ativo na criação dos filhos. Janis passou a aceitar que, quando se trata dos filhos (e de outras diversas áreas da vida em comum), ela está literalmente por conta própria. Não espera mais que ele participe nem fica zangada quando ele se recusa.

Todos esses indivíduos compartilham de choques de intimidade crônicos e contínuos com os parceiros. Escolheram abrir mão do sonho de se tornarem realmente íntimos de seus companheiros e descobriram um jeito de viver com a proximidade limitada. Fizeram um acordo. Mas não se engane: o acordo está longe de ser mútuo. Na verdade, é totalmente unilateral. Em vez de se envolverem em conflitos infindáveis que só resultam em frustração e decepção, eles decidiram mudar as expectativas e reduzir o conflito a proporções toleráveis.

## A DECISÃO DE ABRIR MÃO DO SONHO

Recomendamos este caminho? Nossa resposta: "Depende." Se você está em um relacionamento sobrecarregado por conflitos de intimidade que não conseguiu resolver e ainda deseja manter o vínculo por alguma razão, sim, esta é a única forma de viver relativamente em paz. Seu nível de satisfação no relacionamento será mais baixo do que o das pessoas que não experimentam tais batalhas. Mas será mais alto do que o das pessoas que escolhem reencenar tais brigas dia sim, dia não, sem aceitar que são sobre diferenças fundamentais que não vão desaparecer.

Porém, se você estiver em um relacionamento relativamente novo ou descompromissado e já está experimentando diversos conflitos no que diz respeito à intimidade, pense bem se deseja fazer tantas concessões assim para ficar com essa pessoa. Há grandes diferenças entre casais que lidam com problemas não relacionados ao apego e aqueles que têm questões com a intimidade. Enquanto os primeiros casais desejam encontrar um terreno em comum e chegar a uma solução que os aproximará, os outros ou se envolvem em brigas perpétuas e irreconciliáveis, ou um dos dois é obrigado a um acordo unilateral em áreas que lhe são importantes e caras.

Mas há mais que isso: a colisão no apego pode ir de mal a pior. O próximo capítulo descreve como os conflitos sobre a intimidade podem ficar descontrolados; o que é necessário para reconhecer a situação e, mais importante, como deixá-la para trás.

# 10

## Quando o anormal se torna a norma: um guia para o rompimento com apego

- Clay e Tom desfrutavam de um jantar romântico no seu aniversário de casamento. Clay, amorosa, fitava Tom, até que, do nada, Tom retrucou: "Que diabos você tanto olha? Pare de me encarar, é realmente irritante." Clay queria se levantar e ir embora, mas se controlou. Os dois terminaram a refeição em silêncio.
- Durante toda a viagem para fazer trilhas na Guatemala, em vez de caminhar lado a lado compartilhando a aventura, Gary sempre andava à frente de Sue, fazendo ocasionalmente comentários desdenhosos sobre como ela era preguiçosa e incompetente por ser tão lenta.
- Depois que Pat terminou de dar ao marido o prazer sexual "sem reciprocidade" que ele tinha pedido, Tom disse: "Foi incrível... e o melhor de tudo era que podia ter sido com qualquer uma, até mesmo com uma completa desconhecida. É excitante." Pat teve a sensação de ter recebido um soco na boca do estômago.

***

Nos capítulos anteriores, falamos sobre problemas decorrentes do choque entre ansiosos e evitativos e sobre formas possíveis de resolver essas questões. Em alguns casos, porém, fracassam até esforços repetidos para melhorar a situação, e a interação entre os dois estilos de apego se torna de fato prejudicial. Infelizmente, nesses casos, os ansiosos e os evitativos despertam o que há de pior no outro. O "anormal" se torna a norma.

Existe uma visão bastante disseminada de que apenas gente masoquista e "patética" toleraria um tratamento tão ruim e que, se alguém está disposto a aguentar tudo isso em vez de partir, pois bem, talvez mereça o que está recebendo! Outros acreditam que essas pessoas estão revivendo experiências problemáticas da infância na vida adulta. A história de Marsha e de Craig contradiz essas suposições simplistas.

Conhecemos Marsha, 31 anos, enquanto realizávamos as entrevistas para este livro. Foi muito aberta e receptiva ao relatar sua história, e não teve qualquer problema para revelar momentos muito íntimos e, com frequência, muito dolorosos da sua vida. Contou-nos que queria que sua história fosse ouvida para ajudar outras mulheres que, porventura, estivessem em situação parecida. Queria que soubessem que era possível sair de um relacionamento destrutivo e encontrar a felicidade em outra parte. Marsha vinha de uma família amorosa, carinhosa e depois do relacionamento com Craig ela encontrou um homem que a adora e que a trata muito bem. O único "defeito" que pudemos encontrar em Marsha foi que ela era ansiosa e Craig, evitativo. Como discutimos no capítulo 5, parece haver uma força gravitacional que atrai indivíduos ansiosos e evitativos e, uma vez estabelecido um vínculo entre eles, fica muito difícil o rompimento. A história de Marsha demonstra o que ocorre em uma combinação radical entre ansioso e evitativo, e o esforço mental necessário para desfazê-la.

Embora a história de Marsha seja perturbadora, ela termina em uma nota positiva. Incluímos o relato aqui por três motivos: para ilustrar o poder do processo de apego, para demonstrar que mesmo indivíduos emocionalmente saudáveis podem se enredar em uma situação destrutiva e para que as pessoas que estão nesse tipo de relacionamento saibam que podem encontrar uma vida melhor para si mesmas se conseguirem reunir forças para partir.

## A história de Marsha

Conheci Craig quando estava na faculdade. Ele era bonito, atlético e eu admirava sua aparência. Além disso, ele era um monitor de física, meu curso de graduação, com um trabalho que parecia bem mais avançado que o meu, e por isso achei que fosse brilhante. Desde o início, porém, havia coisas no seu comportamento que me deixavam confusa e aborrecida.

Quando ele me convidou para sair pela primeira vez, fui ao que supunha ser um encontro só para descobrir que se tratava de uma saída de grupo com um monte de amigos dele. Embora eu soubesse que qualquer mulher teria interpretado o convite do mesmo modo, concedi a ele o benefício da dúvida, aceitando a possibilidade de ter me equivocado. Pouco depois, Craig me convidou para sair sozinha com ele. Registrei o primeiro "encontro" como um mal-entendido.

Um mês depois, pensei em surpreender Craig aparecendo na arquibancada para torcer por ele durante seu treino de atletismo. Ele não me agradeceu; pior do que isso, me ignorou completamente. Estava com os amigos e nem disse oi. O que me restava além de chegar à conclusão de que ele se envergonhava de mim?

Depois, fui tomar satisfação e esclarecer o que significava aquele comportamento e Craig disse: "Marsha, quando estamos perto de outras pessoas, acho que ninguém precisa saber que somos um casal." As palavras dele me encheram de fúria e me levaram às lágrimas. Mas então ele me abraçou, me beijou e eu fiz as pazes com ele. Pouco tempo depois, apesar de Craig não reconhecer nosso relacionamento em público, ficou evidente que éramos de fato um casal.

Infelizmente, não foi a última vez que descobri que não estávamos na mesma sintonia. Já saíamos por vários meses e, na minha cabeça, o relacionamento progredia muito bem. Assim, para deixar as coisas mais claras, falei para meu antigo namorado – com quem ainda me encontrava ocasionalmente – que eu não podia mais vê-lo. Quando mencionei isso para o Craig, sua resposta me deixou abalada. "Por que disse isso para o seu ex? Ainda é muito cedo e pode não dar em nada!"

Depois de mais alguns meses nos vendo, Craig e eu parecíamos finalmente estar na mesma frequência. Ele ia se mudar para um apartamento de um quarto e sugeriu que eu fosse morar com ele. Gostei que estivesse assumindo um compromisso e concordei. Parecia perfeitamente natural para todo mundo. Craig era um ótimo sujeito e causava uma boa impressão. Quem o conhecia superficialmente achava que ele era um cara legal. A verdade, porém, era que minha vida com Craig estava se tornando uma montanha-russa emocional e eu acabava em lágrimas diariamente.

Para começar, Craig sempre me comparava à sua ex-namorada, Ginger. Segundo Craig, ela era perfeita – inteligente, bonita, interessante e sofisticada. Para mim, era muito difícil saber que os dois ainda mantinham contato; aquilo me deixava insegura. Ao mesmo tempo que se desfazia em elogios a Ginger, ele desdenhava de mim, especialmente no que dizia respeito às minhas habilidades intelectuais. Eu ficava arrasada por ele achar que eu era um tanto lenta. Mas sabia da minha própria inteligência – afinal, eu era aluna de uma universidade de elite, da Ivy League – então deixei para lá.

Já minha autoconfiança quanto à minha aparência era uma outra história. Sentia-me insegura e não ajudava nada quando Craig se concentrava em alguma característica do meu corpo – um pouco de celulite, por exemplo – e ficava falando daquilo durante semanas. A primeira vez que me viu nua no chuveiro, ele comentou que eu parecia "uma anã com peitos imensos". Eu levava a sério aqueles comentários depreciativos e às vezes eu mesma me diminuía. Uma vez, depois de ter comido muito e me sentir gorda, perguntei por que ele ia querer fazer sexo com alguém tão repugnante. A maioria dos namorados – aliás, a maioria das pessoas – teria respondido a um momento tão terrível de autodepreciação com algum comentário encorajador, tipo: "Marsha, como pode dizer uma coisa dessas? Você é maravilhosa!"

Mas Craig respondeu apenas: "Você é o que se apresenta no momento." Nem ocorreu a ele que suas palavras pudessem ser ofensivas – para ele, estava fazendo apenas uma observação.

Tentei conversar com ele sobre quão magoada eu me sentia, chegando a dizer algumas vezes que ele parecia ter algum tipo de problema emocional. Mas minhas palavras entravam por uma orelha e saíam pela outra. Houve ocasiões em que jurei para mim mesma que não suportaria mais aquele tipo de comportamento e que juntaria coragem para dizer que ia terminar tudo. Mas nunca era capaz de ir adiante. Ele dizia que me amava e eu deixava que ele me convencesse de que devíamos ficar juntos.

Ele me amava? Talvez. Ele me dizia isso quase todos os dias. Eu justificava seu comportamento, convencendo-me de que ele não tinha culpa, que havia sido criado sem ter um exemplo de relacionamento saudável. O pai era muito autoritário e tratava mal a mãe dele. Tornei-me adepta de racionalizações do tipo "ele nunca conheceu algo melhor". Se aquele comportamento tinha sido adquirido, eu podia ter esperanças, podia até mesmo ter a expectativa de que ele viesse a mudar.

Minha negação exigia que eu aguentasse muita coisa. Como o pai, Craig era muito impositivo. Tudo girava em torno *dele*. Sempre fazíamos o que ele queria. As opiniões dele importavam mais – em todos os assuntos. Ele selecionava os filmes que veríamos e planejava o que eu cozinharia. Embora soubesse que decoração era algo muito importante para mim, ele resolveu que precisávamos de um pôster do Shaquille O'Neal na sala de estar. Na sala de estar!

Por eu morrer de vergonha da forma como Craig me tratava – da forma com que eu deixava que ele me tratasse –, nunca encontrava meus amigos em sua companhia. Já era suficientemente ruim quando estávamos com os amigos dele. Posso ser muito tímida e uma vez, quando saímos com seus conhecidos, tentei dar minha opinião numa conversa. Craig interrompeu a pessoa que falava. "Olhem só, minha namorada 'genial' quer dizer alguma coisa." Em outra ocasião, na praia, pedi uma toalha e ele berrou "Seque no sol", na frente de todo mundo. Esses são apenas dois exemplos. Houve muitos, muitos outros. Eu não parava de pedir que ele não falasse comigo daquele jeito, mas acabei desistindo.

O único aspecto do nosso relacionamento que tornava as coisas suportáveis – e que permitiu que eu ficasse tanto tempo com ele – era que, apesar das palavras, Craig era muito afetuoso. Nós nos abraçávamos muito e dormíamos agarradinhos. O carinho me permitia fingir estar satisfeita com nossa vida sexual. Craig foi o namorado menos sexual que já tive e o conforto que encontrava aninhada em seus braços reduzia a dor do sentimento de rejeição.

Na minha cabeça, eu tentava compensar, mas conforme o tempo passava meu raciocínio foi se tornando cada vez mais distorcido. Eu dizia a mim mesma: "Ninguém tem um relacionamento perfeito. É preciso negociar alguns pontos... se é assim, melhor ficar com Craig." Como já estávamos juntos por muitos anos, "raciocinei" que deveria parar de desperdiçar tempo e me casar. E eu ainda quis me casar com ele mesmo depois dos comentários terrivelmente inapropriados que ele fez quando dei a ideia. Entre outros, ele disse algo como: "Mas isso quer dizer que nunca mais vou dormir com uma mulher na casa dos 20 anos!"

O casamento foi a única vez que pressionei Craig. Assim que ele concordou, eu sabia que se tratava de um erro. Ficou evidente desde o primeiro momento. O anel que ele comprou não era nada impressionante; as pedras caíam. E eu ainda precisava de mais algum sinal?

Nossa lua de mel em Paris foi terrível. Ficamos juntos o tempo todo e eu me sentia praticamente algemada. Tivemos muito tempo para nos divertir, mas Craig transformava tudo em problema. Reclamou do serviço do hotel e ficou furioso quando eu, acidentalmente, fiz com que pegássemos a linha errada do metrô. Foi um momento de iluminação para mim. Quando Craig começou a me xingar, percebi que não tinha o menor poder para fazer com que ele mudasse. Ao voltar para casa, minha família perguntou sobre a lua de mel. Não tive coragem de dizer que havia sido um desastre. Respondi: "Foi boa", num tom de voz pateticamente frágil. Que jeito horrível de descrever uma lua de mel!

Embora eu me sentisse presa em uma armadilha, ainda não conseguia escapar daquele pesadelo. Muitas e muitas vezes, quando eu reunia coragem para partir, Craig me convencia a ficar. Comecei a fantasiar que ele se apaixonaria por outra e me deixaria porque eu tinha medo de nunca ter forças para tomar a iniciativa. Por sorte, Craig encontrou forças. Quando eu disse que queria o divórcio pela enésima vez, ele novamente implorou para que eu ficasse, mas dessa vez prometeu que se eu pedisse de novo ele não tentaria me convencer do contrário. Sou grata por ele ter mantido a palavra. Quando as coisas se tornaram insuportáveis mais uma vez, falei que queria terminar o nosso relacionamento e ele disse "tudo bem!". Tínhamos acabado de assinar um contrato de compra conjunta de um apartamento e perdemos 10 mil dólares por rompê-lo. Pensando bem, foi o dinheiro mais bem empregado da minha vida.

O divórcio foi relativamente rápido e tranquilo. Mantivemos o contato. A partir do momento que não havia mais vínculos, chegava a ser divertido passar um tempo com ele – em pequenas doses. Ele era interessante, carinhoso e encantador. Quando começava a ser ofensivo, eu me levantava e ia embora.

\*\*\*

Por sorte, Marsha acabou conhecendo alguém com quem mantém uma vida feliz. Ao lado do novo parceiro, ela conseguiu um emprego melhor e adotou novos hobbies. Nunca mais experimentou o tumulto emocional que sentia quando estava com Craig.

## Forças opostas

A história de Marsha e de Craig exemplifica como pode ser ruim uma armadilha ansioso-evitativo. Craig não se sentia à vontade com intimidade excessiva, por isso não perdia uma oportunidade sequer para erguer barreiras emocionais entre ele e Marsha – criando insegurança no início, mantendo dúvidas sobre o status do relacionamento, precisando ser "forçado" a se casar, desdenhando da parceira, evitando sexo e empregando numerosas estratégias de desativação. Está claro que ele possui um estilo de apego evitativo. Marsha tem um estilo ansioso. Desejava ficar próxima de Craig, foi o motor por trás do casamento e se preocupava com a relação – a princípio, ela chorava todos os dias por causa do comportamento dele, uma forma de preocupação, e depois pensava constantemente no divórcio, outro modo de se concentrar no relacionamento. Em uma forma de agir típica dos ansiosos, ela flutuava entre altos e baixos, dependendo dos sinais emitidos por Craig, e recorria ao comportamento de protesto (ameaçava partir sem levar isso adiante). Seu sistema de apego permaneceu cronicamente ativado pelo menos nos primeiros anos – até que ela se tornasse indiferente a ele.

É evidente que cada lado tem diferentes necessidades no relacionamento, resultando em um choque contínuo. A necessidade de Craig era manter distância e a de Marsha era se aproximar. A autoestima exagerada de Craig (característica dos evitativos) alimentava as dúvidas que Marsha nutria sobre si mesma (característica dos ansiosos). Mas havia também momentos de ternura entre os dois, o que tornava difícil o rompimento por parte de Marsha. Por exemplo, Craig às vezes sabia como ser muito carinhoso e amoroso e como tranquilizar Marsha quando as coisas ficavam ruins demais (embora elas ficassem ruins por causa dele!). No entanto, cada momento de proximidade era seguido pelo distanciamento, o que é típico dos relacionamentos entre ansiosos e evitativos.

## Uma palavra sobre sexo

Repare na declaração de Marsha dizendo que Craig "foi a pessoa menos sexual que ela namorou". Os evitativos costumam usar o sexo para se distanciar dos parceiros. Não significa necessariamente que eles venham a trair o outro, embora pesquisas demonstrem que estão mais propensos a isso que pessoas com outros tipos de apego. Phillip Shaver, em um estudo com Dory Schachner, que na época fazia a pós-graduação na Universidade da Califórnia, concluiu que, entre os três estilos, os evitativos seriam os mais propensos a dar uma cantada no parceiro de outra pessoa ou a responder a esse tipo de proposta.

Porém, mesmo os evitativos que permanecem fiéis encontram outros modos de usar o sexo para afastar os parceiros. Enquanto aqueles com um apego ansioso preferem um forte envolvimento emocional durante o sexo e desfrutam dos aspectos íntimos do amor, como beijos e carícias, os evitativos têm preferências bem diferentes. Podem escolher se concentrar apenas no ato sexual em si, esquecendo os abraços e os carinhos, ou criar regras como "sem beijos" para tornar o sexo algo menos íntimo. Outros preferem fazer sexo raramente – ou nunca – ou ter fantasias com terceiros enquanto fazem amor. (Casais com longos relacionamentos podem usar as fantasias para apimentar sua vida sexual, mas fazem isso como forma de aproximação. Com os evitativos, a fantasia não faz parte de uma aventura mútua; é, na verdade, uma estratégia de desativação para manter o isolamento.) De fato, em um estudo com casais que vivem sob o mesmo teto, com união oficializada ou não, os cientistas canadenses Audrey Brassard e Yvan Lussier, juntamente com Phillip Shaver, descobriram que os evitativos faziam menos sexo com os parceiros do que pessoas com outros tipos de apego.

Curiosamente, também descobriram que os evitativos estavam mais propensos a fazer menos sexo *se o parceiro tinha um estilo de apego ansioso*! Pesquisadores acreditam que em relacionamentos como o de Marsha e Craig há menos vida sexual porque o parceiro ansioso quer bastante proximidade física e isso, por sua vez, faz com que o parceiro evitativo recue mais. Existe algum modo melhor de evitar a intimidade do que reduzindo o sexo ao mínimo?

E mais: descobriu-se que o parceiro ansioso usa o sexo para obter uma sensação de afirmação e como uma forma de medir quão atraente parece aos olhos de seu companheiro. Podemos ver que um choque é quase inevitável quando o ansioso atribui tanta importância à experiência sexual e o evitativo quer fugir da intimidade física.

Claro que existem relacionamentos entre ansiosos e evitativos em que o sexo não é um problema. Nesse caso, o distanciamento emocional assumirá uma forma diferente.

## A VIDA NO CÍRCULO ÍNTIMO

Mas o sexo estava longe de ser a maior preocupação de Marsha no tempo em que ficou com Craig. Ele constituía apenas uma fração das estratégias de desativação empregadas por Craig dia sim, dia não, diante dos amigos ou na intimidade do lar. Sua desativação era implacável, infindável. Em resumo, Craig tratava Marsha como se ela fosse o inimigo, em um contraste gritante com a personalidade amorosa e atenciosa que ele exibia para o resto do mundo ("Craig era um ótimo sujeito e causava uma boa impressão. As pessoas que o conheciam superficialmente achavam que ele era realmente legal."). Esse comportamento contraditório confundia Marsha. De todas as pessoas do mundo, ela era a mais próxima a ele. No entanto, era ela quem recebia o pior tratamento. Como podia ser tão simpático com os outros e tão cruel com ela? Não fazia sentido. Ela pensava que, se pudesse fazer com que ele percebesse que a magoava, ele passaria a tratá-la tão bem quanto tratava as outras pessoas.

Marsha não tinha consciência de que Craig a tratava tão mal *porque* ela era a pessoa mais próxima e não *apesar* de ela ser a mais próxima. Ela vivia no interior do círculo íntimo de Craig. Quando nossos parceiros entram no nosso círculo íntimo, nós nos tornamos próximos a eles como só conseguimos ser com nossos parentes mais chegados – nossos cônjuges e nossos filhos (e, quando criança, com nossos pais e irmãos). Infelizmente, para um casal ansioso-evitativo, a vida no círculo íntimo não é um mar de rosas. Assim que Marsha cruzou essa linha com Craig, ela se tornou excessivamente próxima e passou a ser vista como o inimigo. Quanto mais Marsha procurava se aproximar, mais ele tentava afastá-la. É assim que se dá, com frequência, a vida no círculo mais íntimo se você tem um estilo ansioso e está com um evitativo.

### Sinais de que você se tornou "o inimigo"
- Você tem vergonha de deixar que os amigos e a família saibam como é tratado(a) pelo outro.
- Você se surpreende quando dizem para você como seu par é doce, simpático ou atencioso.
- Você ouve as conversas do(a) parceiro(a) para descobrir o que realmente está acontecendo na sua vida.
- Ele(a) costuma consultar outras pessoas, em vez de você, para tratar de assuntos importantes.
- Em uma emergência, você tem dúvidas de que ele(a) deixará tudo de lado para lhe dar apoio.

- Para seu(sua) parceiro(a), é mais importante causar uma boa impressão em desconhecidos do que em você.
- Você se surpreende quando vê amigos sendo tratados com consideração pelo seu par.
- Você é a pessoa mais propensa a ser insultada ou menosprezada por ele(a).
- Sua saúde física e emocional não está no topo da lista de prioridades dele(a).

Essas afirmações se aplicam à sua situação? Há uma boa chance de que você esteja sendo rejeitado se seu parceiro é muito mais simpático com desconhecidos e tiver o hábito de escolher não falar com você. Você se transformou no inimigo. Seu único crime é ter se tornado próximo demais de alguém que não consegue tolerar tanta proximidade.

É um cenário muito contrastante se comparado à vida no círculo íntimo de alguém seguro.

### O CÍRCULO ÍNTIMO QUANDO VOCÊ RECEBE TRATAMENTO DE REALEZA

- Seu bem-estar vem em primeiríssimo lugar.
- Você é a primeira pessoa a ouvir as questões.
- As suas opiniões são as mais importantes.
- Você se sente admirado(a) e protegido(a).
- Sua necessidade de proximidade é premiada com mais proximidade.

Muitas pessoas com relacionamentos ansiosos-evitativos acham que esse "tratamento de realeza" para o círculo mais próximo não existe, que todo mundo tem as mesmas experiências que elas. Presumem que os outros simplesmente não estão sendo sinceros sobre o que acontece entre quatro paredes. Mas estamos aqui para lhe dizer que isso existe, sim, e que nem é algo tão raro. Afinal de contas, os seguros constituem mais de 50% da população, e seu círculo íntimo recebe tratamento de realeza.

> ### Armas fumegantes na história de Marsha e de Craig
>
> Nas primeiras semanas e meses (!) do relacionamento de Marsha e Craig, diversos sinais tão óbvios quanto armas fumegantes na cena de um crime poderiam ter servido de alerta para que Marsha percebesse a armadilha em que estava prestes a cair.
>
> - Craig ignorou Marsha quando ela veio torcer durante o treino de atletismo.
> - Ele tentava esconder que os dois namoravam.
> - Ficou surpreso quando Marsha parou de ver o ex-namorado (dando a entender que ele mesmo não valorizava o compromisso).
> - Fazia comentários que a degradavam e a diminuíam.
> - Fazia comparações desfavoráveis entre ela e Ginger, a ex "fantasma".
> - Reagia às preocupações e inseguranças de Marsha de um modo que a fazia se sentir pior.
> - E, mais importante: em todas essas ações, ele transmitia uma forte mensagem sobre sua incapacidade de cuidar direito das necessidades emocionais de Marsha.
>
> Para ler mais sobre armas fumegantes, veja o capítulo 5.

## ADMITIR QUE HÁ UM PROBLEMA

Muita gente que vive a armadilha ansioso-evitativo tem dificuldade de admitir para si mesma e para os outros que está passando por uma situação ruim. Se admitem que não estão satisfeitos com o relacionamento, depois contemporizam, dizendo: "Mas quem está satisfeito? Todos os casais brigam, todos os casais ficam aborrecidos. Como somos diferentes dos outros?" Pessoas desse tipo se convencem de que o comportamento do parceiro não é tão ruim assim. Outros, como Marsha, estão conscientes de como a situação é desesperadora, mas não conseguem dar os passos necessários para se livrar. Talvez façam uma tentativa, mas são sobrepujados pela dor associada à partida. Depois, experimentam o *efeito rebote*.

## O EFEITO REBOTE

Por que é tão difícil partir para outra, mesmo ciente de que você se tornou o inimigo? Em primeiro lugar, porque é mesmo muito doloroso. Por mais doloroso que seja ser maltratado pelo parceiro, romper um vínculo de apego consegue ser ainda mais torturante. Talvez você compreenda, do ponto de vista racional, por que deve partir, mas seu cérebro emocional pode não estar pronto ainda para dar aquele passo. Os circuitos emocionais que compõem o sistema de apego evoluíram para nos desencorajar a ficarmos sós. Um modo de nos empurrar de volta para a segurança dos braços da pessoa amada é criar a sensação de uma inconfundível dor quando estamos sozinhos. Estudos descobriram que em exames de imagem do cérebro as mesmas áreas que se iluminam quando quebramos a perna são ativadas quando deixamos um companheiro. Como parte de uma reação a um rompimento, a separação de uma figura de apego é vivenciada no nosso cérebro de forma semelhante àquela com que ele registra a dor física.

Mas não é apenas a sensação de dor que toma conta da pessoa. Outros processos do pensamento também são sequestrados. Assim que o sistema de apego é ativado, deflagra-se outro fenômeno interessante: você é inundado(a) por lembranças positivas daqueles poucos momentos bons que viveram juntos e se esquece da infinidade de experiências ruins. Você lembra como a pessoa foi doce no outro dia, quando você estava aborrecido, e esquece, de modo conveniente, como ela, na verdade, foi responsável pela sua mágoa. Um sistema de apego ativado é imensamente poderoso. É uma razão muito importante para explicar por que Marsha ficou com Craig por tanto tempo.

## De volta à cena do crime

O que acontece quando você reencontra o parceiro depois de um rompimento? Myron Hofer, colega de Amir na Universidade Columbia e um dos principais pesquisadores no campo da psicobiologia do apego entre mãe e bebê, descreve uma descoberta fascinante de um de seus estudos. Quando filhotes de rato são separados da mãe, ocorre uma série de reações fisiológicas: o nível de atividade deles cai, o ritmo cardíaco diminui, assim como o nível do hormônio do crescimento. Nos estudos de Hofer, ele substituía gradualmente cada atributo materno por uma alternativa artificial: primeiro esquentava os filhotes com ajuda de um aquecedor, depois os alimentava até ficarem de barriga cheia, em seguida, acariciava-os com uma escova, imitando o ato materno de lamber a cria. Ele descobriu que cada uma dessas intervenções contribuía com *um aspecto* do sofrimento que tinham com a separação. Alimentar os filhotes ajudava a manter o ritmo cardíaco dentro da normalidade; aquecê-los os ajudava a manter as atividades e escová-los ajudava a elevar a secreção do hormônio de crescimento.

No entanto, apenas uma intervenção aliviava todos os sintomas ao mesmo tempo: o reencontro com a mãe.

Para o ser humano, a situação é bem parecida. Quando rompemos com alguém, nosso sistema de apego fica sobrecarregado. Do mesmo modo que os filhotes de rato, não conseguimos pensar em nada além de voltar a encontrar o ente querido. O fato de uma pessoa ser capaz de liquidar todo o nosso desconforto em uma fração de segundo dificulta muito que se resista à tentação de revê-la. Basta ficar no mesmo ambiente para aliviar a ansiedade de uma forma que nenhum outro amigo ou parente consegue fazer.

Por esse simples motivo, muitos indivíduos acham difícil concretizar o desejo de romper com o parceiro, mesmo quando já tentaram mais de uma vez. Isso também explica por que Marsha escolheu manter contato com Craig por muito tempo depois da separação. Os ansiosos podem demorar bastante para se recuperar de um vínculo ruim e não têm como decidir de quanto tempo precisarão. Só são capazes de desativar e esquecer quando todas as células do corpo deles se convencem de que não há possibilidade de o parceiro mudar ou de que jamais voltarão a ficar juntos.

## Fuga de alcatraz

Mesmo sem saber sobre o efeito rebote, Marsha percebia que estava encrencada. Afinal de contas, já havia passado por isso antes. Marsha temia mudar de ideia mais uma vez e ficou aliviadíssima quando Craig cuidou do assunto – cumprindo sua palavra que era partir quando ela voltasse a ameaçá-lo com o divórcio. Na noite em que ela disse que queria terminar a relação, tudo aconteceu muito depressa. Marsha fez uma mala pequena, ligou para a irmã pedindo que ela a buscasse imediatamente. Do ponto de vista do apego, foi uma partida muito bem planejada.

Ficar próxima da irmã, em um ambiente acolhedor, ajudou-a com um dos aspectos de seu sistema de apego em sofrimento. Falar com amigos pelo telefone e obter apoio também ajudou, assim como tomar sorvete e comer chocolate. Nenhum desses confortos aliviava por completo a dor da separação e às vezes ela chegava a se esquecer dos motivos que a levaram a romper com Craig. Aí os amigos e a família a lembravam, até de hora em hora, por que tinha sido necessário partir.

## Quando as estratégias de desativação são benéficas

Muito antes de escapar, Marsha já vinha preparando inconscientemente sua saída, começando a desativar seu sistema de apego. Depois de tentar anos a fio fazer com que as coisas funcionassem com Craig – explicando seu ponto de vista, desmoronando emocionalmente e desculpando seu comportamento –, ela por fim desistiu de ter esperança. Na nossa entrevista, Marsha nos contou que, enquanto nos primeiros anos ela caía no choro quase diariamente, no último ano quase nunca chorava. Do ponto de vista emocional, já estava começando a se distanciar. Não acreditava mais que era possível uma mudança, nem mesmo que Craig *fosse capaz de* mudar. Começou a reparar cada vez mais nos defeitos dele e parou de se concentrar nas experiências positivas que os dois compartilhavam ocasionalmente. O processo que ela atravessou foi o mesmo que os evitativos vivem o tempo todo. Para evitar uma aproximação excessiva, eles focam nos defeitos e nos comportamentos negativos dos parceiros, mantendo-os a distância. Marsha, embora ansiosa, começou a empregar estratégias de desativação depois de se exaurir emocionalmente com Craig incontáveis vezes. A desativação é um processo necessário que precisa acontecer para tirar alguém da sua cabeça (e do seu sistema de apego). Iniciar o processo enquanto ainda se permanece com o parceiro não garante, porém, que você evite o efeito rebote. Assim que seu sistema de apego é reativado como resultado da separação, tudo pode acontecer. No caso de Marsha, o fato de ter começado o processo de desativação ajudou-a a atravessar a fase inicial do rompimento e o divórcio.

Hoje, Marsha não mantém mais contato com Craig nem são amigos. Marsha foi em frente e tratou de procurar um verdadeiro companheiro.

## Como sobreviver a um rompimento

As nove estratégias que apresentaremos agora, com base nos princípios do apego, ajudarão você a passar pela dolorosa experiência do fim de um relacionamento.

1. **Pergunte-se como é a vida para você como parte do "círculo íntimo".** Se não consegue decidir sobre a separação, pergunte a si mesmo se recebe tratamento de realeza ou de inimigo. Se você for o inimigo, está na hora de partir.
2. **Construa uma rede de apoio *previamente*.** Comece a abrir o jogo com os amigos e com a família sobre a *realidade* do seu relacionamento. Isso vai reviver amizades que você talvez tenha negligenciado por vergonha ou simplesmente porque estava infeliz. Vai também prepará-los para lhe ajudar quando for a hora de agir (veja como na estratégia 7).
3. **Encontre um lugar reconfortante, acolhedor, para ficar nas primeiras noites.** Você precisará de todo o apoio que puder obter a princípio.

A tentação do rebote é bem forte. Pais, irmãos ou amigos mais próximos podem ajudá-lo(a) a controlar essa vontade.

4. **Resolva suas necessidades de apego de outros modos.** Recrute apoio entre as pessoas mais próximas e procure distrações como uma massagem, muito exercício e comida saudável e reconfortante. Quanto mais conseguir acalmar seu sistema de apego, menos dolorosa será a separação.

5. **Não se envergonhe se tiver uma recaída e voltar à "cena do crime".** Obviamente é melhor que você não reestabeleça contato com o(a) ex, mas, se isso acontecer, não se torture. É importantíssimo que você tenha autocompaixão. Quanto pior se sentir, mais você vai querer voltar à falsa segurança do seu relacionamento ruim. O sistema de apego se ativa mais quando você não fica bem consigo mesmo(a) e um sistema ativado significa mais vontade de voltar a ter contato.

6. **Se você está com dificuldades, não sinta culpa.** Lembre-se de que a dor é real! Os amigos talvez insistam para que você esqueça seu(sua) ex, que pare de sentir pena de si mesmo(a) e se recupere depressa. Mas sabemos que a dor que você está sentindo é real, por isso não tente negá-la. Seja gentil consigo mesmo e descubra formas de mimar seu corpo e sua alma. Era o que você faria se tivesse quebrado uma perna!

7. **Quando for inundado por recordações positivas, peça a um amigo próximo para chamar você para a realidade.** Lembre-se de que seu sistema de apego está distorcendo sua percepção do relacionamento. Peça a um amigo para lembrá-lo(a) de como as coisas realmente eram. Mesmo que você sinta falta do(da) ex e tenda a idealizá-lo(a), a realidade lentamente vai prevalecer.

8. **Desative: escreva todos os seus motivos para partir.** Seu objetivo é a desativação do sistema de apego. Para isso, nada melhor do que recordar os momentos ruins do relacionamento e escrevê-los para deixar que eles fiquem vivos na memória. Dê uma olhada na lista quando aquelas recordações positivas invadirem a sua mente.

9. **Saiba que, por maior que seja a dor que sente agora, tudo vai passar.** Quase todas as pessoas se recuperam muito bem de um coração partido e acabam encontrando coisa bem melhor!

# Parte 4

# O jeito seguro: como afiar suas habilidades de relacionamento

# 11

## *Comunicação efetiva: transmitindo a mensagem*

### Usar a comunicação efetiva para escolher o parceiro certo

Depois de alguns encontros com Ethan, Lauren ficou muito confusa. Na primeira saída, os dois foram a um bar romântico na praia e passaram várias horas se conhecendo melhor. No final da noite, ele se despediu depressa e desapareceu. Para surpresa de Lauren, ele telefonou convidando-a para sair de novo, dessa vez para assistir a uma performance em uma casa noturna à beira-mar. Eles tomaram alguns drinques e passaram horas dançando juntos. Chegaram a dar uma volta na praia, porém mais uma vez nada aconteceu, apenas um "vamos nos falando" quando se despediram. Esse padrão se repetiu de novo no encontro seguinte. Lauren, que tem um estilo de apego ansioso, achou que talvez Ethan não se sentisse atraído por ela. Mas então por que tinha voltado a chamá-la para sair? Talvez quisesse apenas a companhia? Ela não queria parar de vê-lo sem motivos claros porque tinha gostado muito dele. Um amigo próximo encorajou-a a parar de especular as razões de seu comportamento e simplesmente perguntar a ele.

Em situações normais, Lauren não teria aquela coragem – teria ficado com medo demais de receber uma resposta dura. Mas tinha chegado a um ponto em que não estava mais disposta a desperdiçar tempo precioso com a pessoa errada. Por isso ela tocou no assunto com Ethan, um tanto insegura a princípio, mas pegou-se falando de uma forma bem direta à medida que a conversa progredia: "Estou procurando algo mais do que um relacionamento platônico. O que você tem em mente?" Ao contrário do que presumia, ele não achava que ela era pouco atraente. Disse que realmente gostava dela e expressou seu desejo de encontrar um par. Mas quando ela avançou na conversa e perguntou de forma específica por que ele vinha adotando esta postura "sem contato" nos seus encontros, ele não soube responder e ficou enrolando. Apesar de não sair da conversa com uma resposta objetiva sobre os motivos que o levavam a não se interessar pelo contato físico, ela teve uma noção clara de como seria o futuro dos dois – inexistente!

Lauren parou de pensar nele como um parceiro em potencial, mas os dois continuaram amigos. Depois que Ethan lhe fez confidências sobre diversas mulheres com quem saía e que obviamente também estavam se tornando frustradas pelo seu comportamento intrigante, ela finalmente somou dois mais dois. O mistério em torno da conduta de Ethan não tinha nada de misterioso no final das contas – ficou claro que ele andava com sérias dúvidas sobre sua orientação sexual. Lauren agradeceu a Deus por ter tido a coragem de exprimir suas preocupações logo no início, poupando-lhe meses de falsas esperanças e de rejeição.

A história de Lauren é um excelente exemplo da importância da comunicação efetiva. Expressar suas necessidades e expectativas para o parceiro de forma direta, sem tom acusatório, é uma ferramenta incrivelmente poderosa. Embora seja empregada naturalmente por pessoas com estilo de apego seguro, ela costuma parecer algo mais difícil para aqueles com apego ansioso ou evitativo.

Uma conversa direta com Ethan pôs fim em todo o jogo de adivinhação e nas "teorias" que Lauren havia construído na sua cabeça. Para

Ethan, teria sido conveniente se Lauren tivesse se disposto a simplesmente tolerar seu comportamento por tempo indefinido. Assim, ele teria o que queria – uma namorada para exibir para os amigos e para a família (que parariam de ficar no seu pé) e tempo para entender sua orientação sexual. Mas, ao expressar suas necessidades, Lauren foi capaz de se cuidar e de evitar se prender aos interesses de outra pessoa. Nesse caso, o estilo de apego não era o problema em questão, mas Lauren não tinha como saber disso antes. Se o comportamento de Ethan fosse apenas uma manifestação do seu estilo de apego, a comunicação eficaz também teria revelado a questão e os dois se beneficiariam ao descobrir, logo no início, que seus estilos eram incompatíveis.

Mas o que teria acontecido se Lauren o enfrentasse de forma bem direta, deixando-o extremamente constrangido, só para descobrir que seu comportamento não tinha relação nem com o estilo de apego nem com a orientação sexual, mas apenas com uma simples timidez? Pois bem, conhecemos alguém que teve exatamente essa experiência.

A situação de Tina era bem parecida com a de Lauren. No terceiro encontro com Serge, Tina estava sentada ao lado dele no sofá, vendo um filme, e se perguntando por que ele não tomava a iniciativa. Também estava cansada de relacionamentos que não davam em nada e não estava disposta a desperdiçar tempo demais conjeturando qual seria o problema de Serge. Colocou no rosto um sorriso sedutor e disse simplesmente: "Posso ganhar um beijo?" Embora Serge tenha ficado atônito por um segundo e murmurado alguma coisa, ele se recuperou e inclinou-se para beijá-la. Sua timidez jamais voltou a ser uma questão no relacionamento, que vai de vento em popa há três anos.

Nesse caso, pedir um beijo de modo provocante foi um uso eloquente da comunicação efetiva. Tina exprimiu suas necessidades e, apesar da rápida estranheza gerada em um primeiro momento, sua forma direta de agir deu um tremendo empurrão no seu relacionamento com Serge, aproximando-os muito mais, não apenas do ponto de vista físico, mas também emocional. Mesmo que Serge tivesse tido outra reação e as coisas tivessem tomado outro rumo, ainda assim teria sido útil: a reação das pessoas à comunicação efetiva é *sempre* muito reveladora. Ela permite que você evite relacionamentos sem saída, como no caso de Lauren e de Ethan, ou ajuda você a chegar a um nível mais profundo, como no caso de Serge e Tina.

A comunicação efetiva funciona a partir da compreensão de que cada um de nós tem necessidades bem específicas nos relacionamentos, muitas delas determinadas pelo estilo de apego. Não são boas nem ruins; são o que são. Se você é ansioso, há grande necessidade de proximidade e de ter um feedback constante sobre o amor e o respeito que seu parceiro sente por você. Se é evitativo, você precisa manter alguma distância, seja emocional ou física, de seu parceiro e preservar certo grau de afastamento. Para ser feliz em um relacionamento, precisamos encontrar um modo de comunicar nossas necessidades de apego com clareza, sem recorrer a ataques ou se pôr na defensiva.

## Por que usar a comunicação efetiva?

A comunicação efetiva funciona para cumprir dois objetivos:

- **Escolher o parceiro certo.** A comunicação efetiva é o modo mais rápido e mais direto de determinar se seu pretendente é capaz de suprir suas necessidades. A reação à comunicação efetiva é capaz de revelar em cinco minutos muito mais do que você poderia descobrir em meses de encontros sem esse tipo de discurso. Se o outro demonstra um desejo sincero de compreender suas necessidades e de colocar seu bem-estar em primeiro lugar, o futuro a dois é promissor. Se ele descarta suas preocupações por considerá-las insignificantes ou faz você se sentir inadequado(a), tolo(a) ou autocomplacente, você pode concluir que essa pessoa não tem em mente o que é melhor para você e que os dois são provavelmente incompatíveis.

- **Garantir que suas necessidades são atendidas no relacionamento, seja ele novíssimo ou antigo.** Ao explicitar suas necessidades, você torna bem mais fácil para seu(sua) parceiro(a) atendê-las.

> Ele(a) não precisa adivinhar se alguma coisa está incomodando você – ou o que é essa coisa.

A beleza da comunicação efetiva é que ela permite que você transforme uma suposta fraqueza em uma vantagem. Se você precisa ter um retorno constante a respeito do amor e da atração do seu parceiro (pelo menos na fase inicial do relacionamento), em vez de tentar esconder esse desejo porque não é socialmente aceito parecer tão carente, você declara isso explicitamente. Quando colocado assim, você não fica parecendo fraco(a) ou carente, mas autoconfiante e assertivo(a). Claro que a comunicação efetiva significa que você se comunica de modo a não ofender o outro, sem deixá-lo na berlinda, mas permitindo que ele também seja aberto e não se sinta atacado, criticado ou recriminado.

Outra vantagem da comunicação efetiva é que ela fornece um modelo a ser seguido pelo seu parceiro. Você dá o tom do relacionamento como uma situação em que os dois podem ser sinceros e na qual cada um tem a responsabilidade sagrada de cuidar do bem-estar do outro. Como você viu no capítulo 8, nunca é tarde para começar a usar a comunicação efetiva a fim de melhorar o relacionamento. Ela é uma das ferramentas mais poderosas que as pessoas seguras empregam na vida diária, com o parceiro, com os filhos e no trabalho. É realmente capaz de transformar o modo como você lida com as pessoas à sua volta.

## Julgando a resposta

Com a comunicação efetiva, você talvez não tenha condições de resolver um problema ou de solucionar suas diferenças de uma só vez. Mas pode julgar *de imediato* quão importante seu bem-estar é para o(a) seu(sua) parceiro(a):

- Ele(a) tenta compreender profundamente suas preocupações?
- Ele(a) responde à questão colocada ou tenta escapar?

- Leva suas preocupações a sério ou tenta diminuir você, ironizando sua forma de tocar no assunto?
- Tenta encontrar maneiras de fazer com que você se sinta melhor ou fica ocupado(a) assumindo uma postura defensiva?
- Responde a suas perguntas de modo factual (como em um tribunal) ou também está sintonizado(a) com seu bem-estar emocional?

Se seu par é receptivo e genuinamente preocupado com a sua felicidade e com a sua segurança, você tem um sinal verde para ir em frente com o relacionamento. No entanto, se ele tenta fugir de assuntos importantes, assume uma postura defensiva ou faz você se sentir tolo ou carente, você deve considerar que está recebendo um grave sinal de alerta.

## Por que adotar a comunicação efetiva é tão difícil para quem tem estilo inseguro?

A comunicação efetiva parece algo facílimo. Afinal de contas, todo mundo pode praticá-la se resolver fazê-lo, não é mesmo? Pois bem, isso é verdade *desde que sejam pessoas seguras*. Com frequência os inseguros não conseguem entrar em contato com o que realmente os incomoda. São tomados pelas emoções e explodem. Pesquisas mostram que quem tem um estilo de apego seguro não reage de forma tão veemente, não se sente arrasado com tanta facilidade e consegue comunicar os sentimentos com calma e eficácia, cuidando das necessidades do outro. Os seguros também acreditam ser dignos de amor e de afeição e esperam que o parceiro seja receptivo e atencioso. Com essas crenças, é fácil ver por que não deixam que os pensamentos negativos tomem o controle, por que permanecem calmos, compostos e presumem que a outra pessoa reagirá de forma positiva. De fato, essa atitude pode ser contagiante. Nancy Collins, da Universidade da Califórnia (Santa Bárbara) – cujos principais interesses em pesquisa incluem processos cognitivos e sociais que moldam relacionamentos próximos na vida adulta e o impacto desses processos sobre a saúde e o bem-estar – juntamente com Stephen Read, da Universidade do Sul da Califórnia – que estuda modelos de redes neurais do raciocínio e do comportamento social –, descobriu que indivíduos com estilo de apego seguro parecem funcionar como coaches de comunicação efetiva, eles relatam que são bons em fazer com que os outros se abram e falem de assuntos pessoais. Mas o que acontece se você não é seguro?

## Se você é ansioso...

Quando começa a sentir que algo está lhe causando incômodo em um relacionamento, você tende a ficar tomado por emoções negativas e pensa em extremos. Diferentemente dos seguros, você não espera que o outro reaja de forma positiva; na verdade, você antecipa o contrário. Percebe o relacionamento como algo frágil, instável, que pode ser destruído a qualquer momento. Esses pensamentos e suposições dificultam que você expresse suas necessidades de forma eficaz. Quando finalmente resolve conversar, você costuma fazer isso de forma explosiva, acusatória, crítica ou ameaçadora. Em vez de dar a tranquilidade que você busca, o outro pode se distanciar. De fato, Collins e Read confirmaram esse aspecto em seu estudo: homens que saíam com mulheres ansiosas relataram se abrir com menos frequência e consideravam que o nível geral da comunicação era inferior ao de outros casais. O resultado é que, depois de expressar suas necessidades de um modo que afasta seu parceiro (em vez de usar a comunicação efetiva), você recorre em seguida ao comportamento de protesto – expressar sua necessidade de proximidade e de reafirmação fazendo cena. Com isso, você perde todos os benefícios dessa poderosa ferramenta – ao contrário da comunicação efetiva, o comportamento de protesto nunca dá a você a oportunidade de lidar com suas preocupações de forma clara. O outro pode reagir de forma negativa, mas você não terá como saber se ele está reagindo à sua necessidade ou ao comportamento de protesto.

Digamos, por exemplo, que você ligue sem parar para o celular do parceiro por temer uma traição. Ele decide que já aguentou o suficiente e termina o relacionamento. Você fica sem saber o que aconteceu. Fica se perguntando se o afastou ao agir de modo tão invasivo ou se ele decidiu que você não era a pessoa certa. Você não recebe a resposta para a sua preocupação original, que era saber se o outro se preocupa o suficiente para dar ouvidos às suas questões, para lhe tranquilizar e fazer o que é preciso para que se sinta seguro(a) e amado(a).

Portanto, apesar do seu compreensível medo de se machucar, aconselhamos que evite o comportamento de protesto, dê um salto de fé e adote a comunicação efetiva. Podemos dizer com toda a sinceridade que todo mundo que conhecemos que lançou mão dessa ferramenta ficou grato por ter agido assim no longo prazo. Com frequência, ela provoca um imenso alívio ao mostrar para você os sentimentos intensos do outro – e ao fortalecer o vínculo entre os dois. Mesmo que, em alguns casos, possa ser diferente do esperado e você se convença de que estragou tudo – se tivesse dito ou feito algo diferente, o outro com certeza teria mudado –, nunca ouvimos alguém dizer, olhando para trás, que se arrependia de ter tocado em um assunto importante em uma situação de flerte ou de relacionamento. Na verdade, as pessoas em sua esmagadora maioria expressam gratidão porque a comunicação efetiva fez com que dessem mais um passo na direção de sua meta de *longo prazo*, de encontrar a pessoa certa ou fortalecer o vínculo existente.

Vejamos Hillary, por exemplo. Ela planejava um passeio romântico com Steve – atravessar a ponte do Brooklyn – em uma ensolarada manhã de sábado, mas, quando ligou para ele, Steve disse que tinha começado a lavar roupa e que retornaria a ligação mais tarde. Ao ver que Hillary estava aborrecida, sua amiga convenceu-a a ligar de novo e insistir que terminasse a tarefa depois da caminhada – afinal, era um lindo dia de primavera. Com relutância, Hillary voltou a ligar. Steve não apenas reafirmou sua decisão de continuar a lavar roupa como resolveu também que não queria vê-la pelo resto do dia! Hillary ficou arrasada. E furiosa com a amiga por ter sido convencida a telefonar para ele. Sentia que, ao demonstrar interesse demais, havia arruinado suas chances com Steve. Meses depois, um amigo em comum contou-lhe que Steve andava profundamente deprimido depois de um divórcio amargo e não tinha qualquer interesse – nem condições – de começar um novo relacionamento. Hillary percebeu que sua insistência naquela manhã lhe poupara o sofrimento que a indisponibilidade emocional de Steve certamente lhe causaria. Na época, Hillary ficou muito chateada com a amiga e a culpou por ter arruinado suas chances com Steve, mas depois percebeu que a amiga lhe ensinara uma das lições mais valiosas sobre relacionamentos: como comunicar suas necessidades de uma forma eficaz. Foi a primeira vez que Hillary teve a certeza de ter se mostrado por inteiro, de uma forma genuína, em um relacionamento – sem joguinhos. Embora as coisas com Steve não tivessem dado certo, ela sabia que tinha feito o máximo para que funcionassem. Começou também a descobrir que, na maior parte das vezes, os motivos que levavam as pessoas a se comportarem de uma forma indelicada com ela não tinham qualquer relação com o fato de ela ser ou não atraente ou desejável.

A seguir, veremos outro exemplo do poder de afirmar o que você deseja, sem pedir desculpas por isso.

Durante anos, com medo de parecer desesperada, Jena não se abria com os homens com quem saía, escondendo seu grande desejo de casar e ter filhos. Quando chegou aos 40, o relógio biológico passou a maternidade para o topo de sua lista de prioridades e ela decidiu dizer aos parceiros em potencial, ainda no primeiro encontro, que além de desejar ser mãe ela só tinha interesse em sair com homens que também quisessem ter filhos o mais depressa possível. Embora suspeitasse – com razão – de que a maioria dos caras que ouvisse isso sairia correndo na direção oposta, o medo da rejeição não era mais a principal preocupação de Jena. Realmente, ela afugentou alguns possíveis pretendentes, mas acabou conhecendo Nate, que, longe de se sentir ameaçado, tinha o mesmo desejo. Ele achou ótimo que ela soubesse o que queria e que não tivesse medo de dizer. O uso da comunicação efetiva funcionou muito bem para Jena. Hoje ela e Nate são os felizes pais de dois filhos.

Como Jena e Hillary, você também pode aprender como usar a comunicação efetiva, embora pareça um tanto assustador se seu estilo de apego é ansioso.

## SE VOCÊ É DO TIPO EVITATIVO...

Embora não haja nada que aproxime mais duas pessoas que compreender e ser compreendido, a comunicação efetiva também tem algo a oferecer a indivíduos com estilo de apego evitativo. Pessoas como você não costumam ter consciência de seu anseio por distância e afastamento – sentem a necessidade de escapar mas não entendem o motivo. Quando tem esse sentimento, você talvez presuma que está começando a se sentir menos atraído(a) pelo(a) parceiro(a). E, nesse caso, o que haveria para conversar? Provavelmente, ele(a) não é a "pessoa certa", então por que prolongar a agonia? Mas aí você se descobre em uma sequência de relacionamentos fracassados, repetindo o mesmo ciclo sem parar. Se você é evitativo(a), o primeiro passo, portanto, é reconhecer sua necessidade de espaço (emocional ou físico) quando as coisas ficam próximas demais e aprender a comunicar essa necessidade. Explique de antemão ao outro a sua necessidade de passar algum tempo só quando as coisas ficam melosas demais e que não se trata de um problema dele, mas sim de um imperativo em *qualquer* relacionamento (essa parte é importante!). Isso deve tranquilizar as preocupações do outro e acalmar um pouco o sistema de apego. As pessoas com quem você se relacionar ficarão menos propensas a intensificar os esforços de aproximação (que é o que lhe causa o maior desconforto). Assim, há mais chances de evitar toda uma dinâmica de aproximação e afastamento da pessoa amada.

Andres, que tem estilo de apego evitativo, estava casado com Monica havia 25 anos quando descobriu que tinha uma condição autoimune de progressão lenta. Era incurável, disseram-lhe, mas, considerando sua idade, talvez a expectativa de vida não fosse seriamente prejudicada. Exigiria, porém, exames laboratoriais periódicos. Depois do choque inicial da descoberta, Andres conseguiu afastar os pensamentos a respeito do seu problema e seguir com a sua vida. Monica, porém, não conseguiu fazer o mesmo. Acreditava que simplesmente seguir em frente não era a melhor opção. Tentou por várias vezes convencê-lo a ouvir uma segunda opinião e a fazer uma grande pesquisa na internet. Andres em geral escapava das conversas e ignorava as suas sugestões sobre a doença, mas por vezes o assunto levava a sérios conflitos. Por fim, depois de muitos meses de frustração, ele foi falar com Monica. Ele sabia que seu envolvimento derivava da preocupação e do interesse, só que, em vez de ajudá-lo, servia apenas para lembrá-lo sem parar do seu problema de saúde. Ele confiava no seu médico e sentia que não havia necessidade de maiores investigações. Sentia que o comportamento de Monica não só era pouco eficiente para melhorar a sua saúde como também prejudicava o relacionamento. Monica percebeu que não estava ajudando Andres – aquela era a forma dela de lidar com tal diagnóstico, mas não era a forma dele. Compreendeu que poderia ser uma parceira melhor e dar mais apoio se respeitasse os desejos dele em vez de obrigá-lo a fazer o que ela queria. Desde então, Monica conseguiu controlar suas palavras um pouco mais (mas não completamente), o que permitiu que diminuíssem os conflitos entre os dois.

## Usar a comunicação efetiva para garantir que suas necessidades sejam atendidas no relacionamento

Monique e Greg estão saindo há alguns meses e o feriado do 4 de Julho se aproxima. Monique planeja celebrar a data com amigos, mas não convidou Greg para se juntar ao grupo, pelo menos não até o momento. Greg está ficando cada vez mais confuso com isso. Está preocupado com o que isso significa. Será que Monique o enxerga apenas como alguém temporário na sua vida? Talvez se envergonhe dele e não queira apresentá-lo aos amigos? Greg não deseja confrontá-la pois teme ficar parecendo ansioso demais ou carente demais. Em vez disso, decide lançar sugestões sutis: "Não sei ainda muito bem o que fazer no 4 de Julho.

Recebi alguns convites, mas não consigo decidir se tem algo que valha a pena." Na verdade, ele não tem planos, mas não quer parecer que está procurando ser convidado. Monique não capta as deixas. Presume que ele esteja avaliando as opções e tenta ajudar. A essa altura, Greg decide desistir, pensando que se Monique, depois de tantas dicas, escolhe não o convidar é porque obviamente ela não quer que ele a acompanhe. A raiva vai crescendo e Greg decide que terá de pensar muito se Monique é mesmo a pessoa certa para ele.

E se Greg usasse a comunicação efetiva? Ele tem um estilo de apego ansioso e o tipo de diálogo exigido pela comunicação efetiva não é algo que lhe ocorra com naturalidade. Está mais acostumado a recorrer ao comportamento de protesto. Porém ele decide adotar uma abordagem diferente. Vira-se para Monique e diz: "Gostaria de passar com você o 4 de Julho. Gostaria de passar comigo e meus amigos ou prefere que eu me junte ao seu grupo?" Monique responde que não tinha pensado em convidá-lo porque achava que ele não ia gostar muito de passar uma noite com seus antigos colegas do ensino médio. Mas, se ele topasse, por que não? Uma pergunta simples fez com que Greg obtivesse a resposta que desejava. E o mais significativo: desde esse primeiro precedente bem-sucedido, conversar abertamente tornou-se algo muito mais fácil para os dois.

E se Monique tivesse uma reação diferente e rejeitasse o convite de Greg? Como sempre ocorre com a comunicação efetiva, você ganha de um jeito ou de outro. Mesmo se Monique tivesse ignorado o pedido e mudado de assunto depressa, ele teria aprendido algo bem revelador. Um sinal de alerta baseado na realidade – e não nas suposições ansiosas de Greg – soaria a respeito da capacidade de Monique corresponder às suas necessidades e sensibilidades. Não estamos sugerindo que Greg deveria deixar Monique imediatamente se ela agisse desse modo, mas uma arma fumegante ficaria à mostra. Duas ou três demonstrações dessas táticas evasivas provavelmente levariam Greg a procurar o amor em outra parte.

## Quando devo usar a comunicação efetiva?

Quando nos perguntam quando deve ser usada a comunicação efetiva, nossa resposta automática é "sempre!". Mas costumamos ouvir reações como: "Tenho que tratar de cada problema da relação imediatamente? Sou ansioso... isso significaria exprimir todas as preocupações e dúvidas que passam pela minha cabeça? Deus sabe que são muitas!" Em geral, se você lida desde o início com aquilo que o aborrece e recebe uma resposta positiva, todo o seu comportamento se transformará. As preocupações e os medos vêm mais à tona quando você não comunica o que o perturba e deixa que as coisas ganhem uma dimensão muito maior.

Mas até que você se sinta completamente à vontade com o emprego da comunicação efetiva, sugerimos a seguinte regra básica:

- **Se você é ansioso** – lance mão da comunicação efetiva quando sentir que está começando a recorrer ao comportamento de protesto. Quando algo que seu parceiro disse ou fez (ou deixou de dizer ou de fazer) ativa seu sistema de apego a ponto de você sentir que está prestes a fazer uma cena – deixando de retornar as ligações, ameaçando partir ou qualquer outra forma de comportamento de protesto –, contenha-se. Então procure entender quais são suas necessidades reais e recorra à comunicação efetiva. Mas só faça isso depois que tiver se acalmado completamente (o que, para os ansiosos, às vezes leva um ou dois dias).

- **Se você é evitativo** – o sinal certeiro da necessidade de usar comunicação efetiva é quando você sente um desejo irresistível de dar o fora. Use-a para explicar ao parceiro que você precisa de um pouco de espaço e que gostaria de descobrir um modo de resolver isso que seja aceitável para ele. Sugira algumas alternativas, assegurando-se de que as necessidades do outro estão sendo levadas em conta. Assim, é mais provável que você consiga o tão desejado espaço.

Nunca é tarde demais para usar a comunicação efetiva, mesmo se tudo começou com o pé esquerdo.

Larry recebeu um e-mail perturbador do trabalho em um sábado, enquanto Sheila, sua parceira há sete anos, tinha saído para ver um amigo. Quando ela voltou para casa a fim de pegar suas coisas e ir para a academia, Larry ficou ansioso e aborrecido: "Já vai sair de novo? Acabou de chegar em casa! Nunca consigo vê-la nos fins de semana!" Larry sabia que não estava sendo justo enquanto dizia aquelas palavras. Sheila ficou desconcertada com o ataque inesperado – ele sabia quais eram seus planos e, antes de confirmá-los, Sheila se oferecera para ficar em casa com ele, se ele quisesse. A atmosfera ficou tensa e nenhum dos dois disse nada por um tempo. Depois de ler alguma coisa para se acalmar, Larry percebeu o que estava por trás de seu comportamento: ele estava nervoso por causa do e-mail do trabalho e queria a segurança de ter Sheila por perto. Ao mesmo tempo, não se sentia à vontade para pedir que ela mudasse de planos. Por instinto, tinha recorrido ao comportamento de protesto, começando uma briga só para ter a atenção dela. Ele pediu desculpas por não ter expressado suas necessidades efetivamente e explicou a situação. Assim que conseguiu comunicar sua mensagem, ela também se acalmou. Deu o apoio de que ele necessitava e ele insistiu que ela fosse para a academia.

Embora Larry tivesse recorrido inicialmente ao comportamento de protesto, ele descobriu que com um parceiro receptivo a comunicação efetiva pode ajudar a desarmar uma situação tensa, mesmo quando empregada com certo atraso.

## Os cinco princípios da comunicação efetiva

Assim como o conceito da comunicação efetiva, os princípios também são bem diretos.

**1. Fale de coração aberto.** A comunicação efetiva exige que você seja genuíno(a) e completamente sincero(a) sobre seus sentimentos. Seja corajoso(a) com as suas emoções!

2. **Concentre-se nas suas necessidades.** A ideia é comunicar suas necessidades. Ao expressá-las, sempre estamos nos referindo a necessidades que levam em conta também o bem-estar do(a) parceiro(a). Se elas acabarem machucando o outro, você também se machucará. Afinal, vocês dois formam uma unidade emocional. Ao expressar suas necessidades, é bom usar verbos como *precisar*, *sentir* e *desejar*, concentrando-se naquilo que você está tentando realizar e não nas falhas do outro. Vejamos alguns exemplos:
   - *Preciso me sentir mais segura neste relacionamento. Quando você flerta com a garçonete, me sinto vulnerável.*
   - *Sinto-me desvalorizado quando você me contradiz na frente dos seus amigos. Preciso sentir que você respeita minhas opiniões.*
   - *Quero saber que posso confiar em você. Quando você vai para o bar com amigos, fico com muito medo de que me traia.*

3. **Seja específico.** Se você falar em termos gerais, talvez não dê para entender exatamente qual é a sua necessidade, o que pode reduzir as possibilidades de acertos. Diga exatamente o que está incomodando:
   - *Quando você não passa a noite aqui...*
   - *Quando você passa dias sem querer saber como estou...*
   - *Quando você disse que me amava e depois voltou atrás...*

4. **Não recrimine.** Nunca faça seu par se sentir egoísta, incompetente ou inadequado. A comunicação efetiva não foi feita para destacar as falhas do outro, nem para fazer acusações que desviarão você do assunto e iniciarão um duelo. Para conversar, assegure-se de encontrar uma ocasião em que esteja calmo(a). Você vai descobrir que tentar usar a comunicação efetiva quando está à beira de uma explosão é uma contradição – o mais provável é que você pareça zangado(a) ou recriminador(ra).

**5. Seja assertivo e não fique pedindo desculpas.** Suas necessidades de relacionamento são válidas. Ponto final. Embora possam não parecer legítimas para quem tem diferentes estilos de apego, elas são essenciais para a *sua* felicidade. Expressá-las com autenticidade é crucial para a comunicação efetiva. Esse é um ponto especialmente importante se você tiver um estilo ansioso porque nossa cultura nos encoraja a acreditar que muitas das nossas necessidades não são legítimas. Não importa se outra pessoa acha que são legítimas ou não. Elas são essenciais para a sua felicidade e é isso que importa.

### Uma nova lei Miranda para os encontros: a comunicação efetiva desde o início

Em 1966, os chamados "avisos de Miranda" passaram a ser obrigatórios, seguindo determinação da Suprema Corte americana. Essa determinação exige que a polícia cumpra a leitura de seus direitos para quem está sendo preso: *Você tem o direito de permanecer calado. Tudo o que disser poderá ser usado contra você em um tribunal. Você tem o direito à presença de um advogado durante o interrogatório. Se não puder arcar com os custos de um advogado, será designado um defensor público. Compreende esses direitos?*

Uma colega nossa, Diane, fazia piadas com homens que faziam "avisos de Miranda" para ela, ou melhor, que a informavam sobre seus "direitos" enquanto saísse com eles. "Não acho que estou pronto para assumir um compromisso", diziam quando o que realmente queriam dizer era: "Se não funcionar, não me venha dizer que eu não avisei." Aparentemente, como a polícia, que recebe amparo legal enquanto interroga um suspeito, esses sujeitos se sentiam absolvidos de qualquer responsabilidade emocional sobre Diane depois que faziam a declaração "da lei".

Utilizando os princípios do apego, você poderá criar seu próprio código de direitos seguros (e não evitativos), deixando claro que, para você, pessoas apaixonadas botam até a própria alma nas mãos do parceiro, e que os dois são responsáveis pela segurança e prosperidade mútuas.

> Ao transmitir ao parceiro um modelo de funcionamento interno seguro para o amor e os relacionamentos, você está se preparando para um vínculo seguro desde o começo.
>
> - Está falando de coração aberto.
> - É capaz de avaliar a resposta do outro.
> - Está permitindo que os dois busquem um vínculo seguro, mutualmente dependente.

## A COMUNICAÇÃO EFETIVA – PRIMEIROS PASSOS

### *Para começar*

Quando você não está acostumado(a) à comunicação efetiva, pode ser de imensa ajuda formular um roteiro da mensagem que gostaria de transmitir. É melhor não tentar fazer isso quando não estiver bem e é também importante ignorar os conselhos dos amigos que sugerem métodos indiretos para suprir suas necessidades, como provocar ciúme no outro. Se possível, peça à sua PDOA (ver no capítulo 9) ou a um amigo com estilo seguro (ou que seja familiarizado com os princípios da comunicação efetiva) para ajudá-lo a encontrar as palavras certas. Quando estiver certo(a) quanto ao conteúdo, repita em voz alta até se sentir à vontade com o jeito como soa. Escrever tudo pode ajudar você a superar o medo de dar para trás ou de esquecer suas "falas". Também facilita que você se dirija ao(à) parceiro(a) com confiança. Assim que pegar o jeito e experimentar o efeito positivo que tem na sua vida, o uso da comunicação efetiva passará a ser algo natural.

### *Exercício: Responda às seguintes perguntas para determinar o tema do seu roteiro*

Por que eu me sinto desconfortável ou inseguro(a) (ativado ou desativado) nesse relacionamento? Quais as ações específicas do meu par que me fizeram sentir assim? (O inventário do relacionamento no capítulo 9 pode ajudar no processo.)

1._____
2._____
3._____

Que atitude específica do meu par me faria sentir mais seguro(a) e amado(a)?

1._____
2._____
3._____

Qual dessas atitudes eu me sentiria mais à vontade para abordar e discutir?

_____
_____

Use sua resposta para a última pergunta para guiar você rumo à sua primeira comunicação efetiva. Crie agora um roteiro curto, centrado nessa questão, aderindo aos cinco princípios da comunicação efetiva.

Meu roteiro:

_____
_____
_____
_____

\*\*\*

Examine os exemplos a seguir. Repare como a comunicação não efetiva pode ser interpretada de formas diferentes enquanto a comunicação efetiva tem apenas um significado específico. É por isso que a resposta de seu parceiro à comunicação efetiva é bem mais reveladora do que sua resposta à comunicação não eficaz ou ao comportamento de protesto.

| Situação | Comunicação não efetiva (comportamento de protesto) | Comunicação efetiva |
|---|---|---|
| Ele anda muito ocupado no trabalho e você mal consegue vê-lo. | Ligar para ele a cada duas horas para ter certeza de que está pensando em você. | Dizer a ele que sente sua falta e que está tendo dificuldades para se adaptar ao seu novo horário de trabalho, apesar de compreender que é algo temporário. |
| Ela não presta atenção no que você diz, o que faz com que você se sinta desimportante e incompreendido. | Levantar-se no meio da conversa e ir para outro cômodo (na esperança de que ela o siga e peça desculpas). | Deixar claro que não basta que ela ouça sem reagir. Enfatize que você valoriza a opinião dela acima da de qualquer pessoa e que é importante saber o que ela acha. |
| Ele fala sobre a ex-namorada, o que faz com que você se sinta insegura. | Dizer que é patético que ele ainda fale da ex. *Ou* Mencionar outros homens com quem você saiu para que ele saiba como é ruim. | Deixar que ele saiba que as conversas sobre a ex a fazem se sentir inadequada, insegura da sua posição, e que você precisa se sentir segura para ser feliz com alguém. |
| Ele sempre liga no último minuto para fazer planos. | Dizer a ele que você está ocupada sempre que ele fizer isso para que ele aprenda e passe a telefonar antes. | Explicar que você se sente insegura sem saber direito quando vai vê-lo ou se vai vê-lo, e que é melhor para você ter uma estimativa antecipada de quando vocês irão se encontrar. |
| Ela ignora suas chamadas e retorna a ligação quando bem entende. | Dar um sorriso amarelo e aguentar. | Transmitir como é importante para você retornar depressa as ligações *dela* e como seria bom se ela fizesse o mesmo. |

| Situação | Comunicação não efetiva (comportamento de protesto) | Comunicação efetiva |
|---|---|---|
| Ele não telefona para você há alguns dias. Você se preocupa que ele queira terminar o relacionamento. | Dizer que está ocupada quando ele finalmente liga. Isso lhe ensinará uma lição. | Informar a ele como dói quando ele desaparece e que uma das coisas de que você mais precisa em um relacionamento é ser uma prioridade para seu namorado sempre que possível. |

\*\*\*

É importante lembrar que, mesmo com a comunicação efetiva, alguns problemas não serão resolvidos de imediato. O que é vital é a reação do outro – se ele está preocupado com seu bem-estar, se quer o melhor para você e está disposto a buscar uma solução.

# 12

## *A busca de uma solução: cinco princípios seguros para lidar com o conflito*

### As brigas podem nos fazer mais felizes?

Um grande equívoco no que diz respeito aos conflitos nos relacionamentos amorosos é achar que pessoas em bons relacionamentos brigam muito pouco. Há uma expectativa de que, se os dois combinam bem, você e seu parceiro terão as mesmas opiniões na maior parte dos assuntos e quase nunca terão discussões. Às vezes as brigas são mesmo consideradas como "a prova" de que duas pessoas são incompatíveis ou de que o relacionamento está saindo dos trilhos. A teoria do apego nos mostra que essas premissas não são consistentes. Todos os casais – mesmo os seguros – têm sua parcela de brigas. O que faz diferença e afeta seus níveis de satisfação não é quanto discordam, mas como discordam e sobre o que discordam. Pesquisadores do apego descobriram que os conflitos podem servir de oportunidade para a aproximação dos casais e aprofundamento de seus elos.

Existem dois tipos principais de conflito – o tipo feijão com arroz e aqueles em torno da intimidade. No capítulo 8, testemunhamos o que acontece quando indivíduos com necessidades de intimidade diametralmente oposta se juntam e, apesar das melhores intenções, lutam para encontrar uma base comum. Vimos como essas necessidades conflitantes podem se refletir em todas as áreas da vida e costumam resultar em um só parceiro fazendo todas as concessões. Os conflitos feijão com arroz são tipicamente desprovidos de questões de intimidade.

## Conflitos feijão com arroz

Como sugere o nome, são os conflitos em torno de disputas inevitáveis quando duas personalidades diferentes, com vontades diferentes, compartilham o cotidiano – a que canal assistir, qual a temperatura do ar-condicionado, se vão pedir comida chinesa ou indiana. Essas discordâncias, na verdade, são boas porque obrigam você a pensar no outro e aprender a negociar. Um dos castigos mais cruéis a que um ser humano pode ser submetido é a prisão solitária. Somos criaturas sociais e vivemos melhor quando nos relacionamos com os outros. Embora às vezes flexibilizar o nosso raciocínio e as nossas ações implique sair da zona de conforto, isso mantém nossa mente jovem e ativa, até mesmo permitindo que as células do cérebro se regenerem.

Mas o que parece bom na teoria – levar em conta as necessidades e preferências do outro mesmo quando são opostas às suas – nem sempre é tão fácil de pôr em prática. Curiosamente, gente com um estilo de apego seguro sabe como fazer isso de maneira instintiva. Eles conseguem baixar a temperatura de uma discussão e aparar as arestas de um conflito em vias de crescer. Se você já se pegou, durante uma desavença, desconcertado(a) pelo interesse genuíno do outro nas suas preocupações e pela sua disposição em considerá-las, você provavelmente estava discordando de alguém seguro. Mas essa inclinação natural pode ajudar aqueles de nós que não foram dotados com essas habilidades?

Na verdade, quando examinamos melhor, conseguimos ver que há método por trás do comportamento instintivo dos seguros. Essa atitude tem menos relação com seus poderes mágicos do que com práticas úteis. Identificamos cinco ações específicas que pessoas com apego seguro empregam para esfriar e resolver conflitos. E mais: acreditamos que elas podem ser aprendidas. A teoria do apego adulto já provou várias vezes que quando se trata de estilo de apego somos maleáveis. E nunca é tarde para aprender novas habilidades nos relacionamentos.

## Os princípios seguros para lidar bem com os conflitos

Examinemos mais detidamente os cinco princípios que os seguros empregam quando têm desavenças com os parceiros.

> **Cinco princípios seguros para a resolução de conflitos**
>
> 1. Demonstrar preocupação básica pelo bem-estar do outro.
> 2. Concentrar-se no problema em questão.
> 3. Evitar uma generalização do conflito.
> 4. Estar disposto a se envolver.
> 5. Comunicar de forma efetiva os sentimentos e as necessidades.

**1. Demonstrar preocupação básica pelo bem-estar do outro: uma cabana nas montanhas Berkshire**

Frank ama a vida ao ar livre e a casa de veraneio nas montanhas Berkshire que ele herdou dos pais. Sandy a odeia. Tem horror a trabalheira de fazer e desfazer as malas, e detesta o trânsito que sempre pegam nas longas viagens de carro. Para ela, a experiência inteira não compensa todo o trabalho. Precisaram ter algumas brigas feias antes de perceber que, quando um dos parceiros insistia nos seus desejos e ignorava os do outro, os dois acabavam infelizes. Encontraram um sistema que funcionava apesar das diferenças inerentes no modo como cada um desejava passar as folgas. Hoje, quando Sandy percebe que a vida na cidade está se tornando demais para Frank, ela aceita jogar pelo time e os dois se aventuram no mato. Da mesma forma, quando Frank vê que Sandy está se sentindo sobrecarregada pelas viagens, os dois ficam na cidade – às vezes por longos períodos. Nessas ocasiões, ele marca atividades ao ar livre para manter a sanidade. Não é um sistema perfeito e às vezes um dos dois fica aborrecido e se queixa, mas eles conseguem ir levando, cada um procurando atender o outro da melhor maneira possível.

Frank e Sandy compreendem a premissa fundamental de um bom relacionamento: o bem-estar do outro é tão importante quanto o seu. Ignorar as necessidades do parceiro terá um impacto direto nas suas próprias emoções, no seu nível de satisfação e até na sua saúde física. Costumamos encarar os conflitos como um jogo em que só um vence: ou você consegue o que quer ou eu consigo. Mas a teoria do apego mostra que nossa felicidade na verdade depende da felicidade do outro e vice-versa. São inseparáveis. Apesar das vontades divergentes, Frank e Sandy se envolvem em uma espécie de sincronia de um lado para o outro que dá aos dois a satisfação de saber que a outra pessoa está sintonizada com suas necessidades. Sob a perspectiva do apego, essa é uma experiência imensamente compensadora.

## 2. Concentrar-se no problema em questão: a casa bagunçada de George

"Em um de nossos primeiros encontros", lembra Kelly, "George e eu passamos no apartamento dele, mas ele não me convidou para subir. Disse que estava em obras e que ele se sentia pouco à vontade de me deixar vê-lo naquele estado. Como sou uma pessoa desconfiada, aquela desculpa não fez sentido para mim. Tirei conclusões na mesma hora, já imaginando uma escova de dentes de sobra no banheiro e a lingerie de outra mulher na cama. Ele reparou na minha mudança de humor e perguntou o que estava acontecendo. Respondi que era óbvio que ele tinha algo a esconder e nosso encontro terminou com um toque azedo."

Na noite seguinte, porém, George a convidou para ir à casa dele. "Ele atendeu o interfone e, enquanto eu subia a escada, George abriu a porta e fez um grande gesto para me receber dizendo: 'Bem-vinda, bem-vinda, bem-vinda!' O apartamento estava mesmo uma completa bagunça, mas nós dois caímos na gargalhada e os sentimentos ruins se foram."

George foi capaz de reverter a situação porque ele tem um estilo seguro. Embora suas reações possam parecer naturais, se prestarmos um pouco mais de atenção, conseguimos ver que não seriam tão naturais para qualquer um. George permaneceu muito concentrado no problema que se apresentava. Enquanto Kelly, dona de um estilo de apego ansioso, se desviava do assunto e fazia acusações pessoais, George foi capaz de entender seu comportamento de protesto e tratar do que realmente a incomodava. Seu comportamento se encaixa bem com as descobertas das pesquisas. Garry Creasey, chefe do laboratório de apego da Universidade do Estado de Illinois, particularmente interessado na administração de conflitos sob a ótica do apego, juntamente com Matthew Hesson-McInnis, também do departamento de Psicologia da mesma universidade, descobriu que os seguros conseguem entender com mais clareza a perspectiva do parceiro e manter o foco no problema. Ao reagir aos medos de Kelly e lidar com eles de forma rápida e efetiva, George evitou mais conflitos. Sua capacidade de construir uma ligação segura beneficia os dois: Kelly descobre que tem um parceiro que se sente responsável por seu bem-estar e George descobre que ele é aceito do jeito que é, com bagunça e tudo mais. Quando existe disposição para resolver um problema específico, as pessoas sentem que estão sendo ouvidas e isso aproxima o casal.

Mas os seguros nem sempre são capazes de resolver as desavenças de forma tão elegante. Eles também podem perder a cabeça e ignorar as necessidades do parceiro.

### 3. Evitar uma generalização do conflito: as compras

Embora Terry e Alex, ambos na casa dos 50 anos, tenham estilo de apego seguro, os dois mantêm um ritual de brigas contínuas há mais de 30 anos. Terry manda Alex ao supermercado com uma lista de compras detalhadíssima – purê de tomate, pão integral e um pacote de massa Barilla. Algumas horas depois, Alex aparece com produtos semelhantes, mas não exatamente os da lista. Ele compra uma marca diferente de massa e, em vez do purê de tomate, escolhe extrato de tomate. Terry fica aborrecida, declara que os itens não servem para nada e proclama, de forma dramática, que terá que ir pessoalmente até a loja. Alex reage perdendo a paciência, pega as compras e sai de casa furioso. Volta com os itens corretos, mas o confronto estraga o dia dos dois.

Apesar de Terry e Alex nutrirem uma afeição mútua profunda, os dois nunca examinaram direito esse ritual de brigas. Se tivessem feito isso, teriam percebido o valor que haveria em encontrar uma solução diferente. Alex vive no mundo da lua. Simplesmente não parece capaz de prestar atenção nos detalhes. Por que deixar que os dois passem por um desafio que ele não tem condições de cumprir? Para Terry, esses pequenos detalhes são cruciais – não conseguiria ignorá-los mesmo que tentasse. Mas isso não significa que Terry deve assumir todo o fardo sozinha. Uma solução criativa se faz necessária. Terry pode ligar para Alex no supermercado a fim de garantir que ele está colocando os itens corretos na cesta de compras; ela pode fazer as compras pela internet e deixar que ele as retire no mercado, ou pode ir pessoalmente enquanto ele lida com outras tarefas domésticas. Precisam encontrar uma solução de menor esforço e adotá-la.

Uma coisa é notável, porém. Apesar das rusgas, eles conseguem se manter distantes de uma série de armadilhas destrutivas. E, mais importante: os dois não deixam que o conflito se esparrame para outras áreas e saia de controle. Eles evitam fazer comentários desabonadores ou generalizações ferinas sobre o outro. Mantém a discussão exclusivamente no assunto e não deixam que tudo assuma proporções exageradas. Embora Terry, irritada, ameace ir à loja pessoalmente – e faça isso de vez em quando –, ela não sabe o tom para algo como "Estou farta de você" ou "Sabe do que mais? Pode fazer o jantar, estou indo embora!".

### 4. Estar disposto a se envolver

Nos três conflitos que examinamos, resolvidos de forma pacífica ou explosiva, o parceiro seguro (ou os parceiros) permanecem "presentes" tanto do ponto de vista físico quanto emocional. George é capaz de conter o ataque pessoal de Kelly de forma instintiva e, levando em conta seus sentimentos feridos, é capaz de resolver a situação mantendo-se envolvido com a questão. Se fosse evitativo ou ansioso, ele talvez tivesse respondido ao tratamento silencioso de Kelly isolando-se ou criando mais distância e hostilidade.

Frank e Sandy podiam também ter decidido bater o pé e empacar. Sandy podia ter dito: "Sabe do que mais? Faça o que quiser, mas vou passar os fins de semanas na cidade!", recusando-se a falar mais sobre o assunto. Frank, por sua vez, podia ter feito o mesmo. Os dois então teriam passado muitos fins de semana infelizes, presos a um impasse, sentindo a falta um do outro. Somente pela disposição mútua dos dois para ficar e lidar com o problema, eles conseguiram encontrar uma solução viável e, no processo, puderam aprender a ficar mais sintonizados com as necessidades do parceiro.

### 5. Comunicar de forma efetiva os sentimentos e as necessidades.
### A visita à casa da cunhada

Como o trabalho de Tom é muito absorvente, Rebecca mal consegue vê-lo durante a semana e costuma se sentir muito sozinha. Aos sábados, ela tem o hábito de visitar a irmã, que vive nas imediações. Normalmente, Tom não a acompanha nessas visitas. Ele gosta de ficar em casa sem fazer nada, descansando no sofá. Em geral, ela não se incomoda com isso. Mas em um sábado específico, depois de uma semana de trabalho particularmente longa, na qual Tom ficou longe ainda mais tempo do que o normal, ela resolveu insistir muito que ele a acompanhasse. Tom, exausto pela semana de trabalho, manteve-se inflexível, não queria ir. Rebecca não aceitou uma resposta negativa e insistiu. Ele reagiu, fechando-se mais ainda. Por fim, ela disse que ele estava sendo egoísta. Ele encerrou o assunto ficando diante da TV, impassível, e ela acabou indo sozinha para a casa da irmã.

Rebecca age de uma forma bem típica das pessoas com estilo de apego ansioso. Por conta de seu marido ter ficado no trabalho mais do que o normal nesta semana, seu sistema de apego foi ativado e ela sentiu necessidade de se reconectar. O que mais precisa é sentir que Tom está disponível para ela – que ele se importa e deseja estar junto dela. Porém, em vez de *dizer* isso diretamente e de explicar o que a incomoda, ela usa o comportamento de protesto – acusando-o de ser egoísta e insistindo que ele a acompanhe até a casa da irmã. Tom fica confuso por Rebeca estar se comportando de modo tão irracional; afinal de contas, o acordo dos dois é que ele não vai à casa da cunhada.

Como poderia ser diferente a reação de Tom se Rebecca dissesse simplesmente: "Sei que você odeia ir à casa da minha irmã, mas significaria muito para mim se você fosse dessa vez. Mal vi você durante a semana inteira e não quero perder nenhum momento ao seu lado."

Expressar suas necessidades emocionais com efetividade é bem melhor do que esperar que o outro, como mágica, leia seus pensamentos. Significa que você é um agente ativo que pode ser ouvido. Essa ferramenta abre a porta para diálogos emocionais bem mais ricos. Ainda que Tom seguisse optando por não acompanhar Rebecca, se ele entendesse como ela se sentia, poderia encontrar outro modo de tranquilizá-la: "Se realmente quiser que eu vá, eu vou. Mas também quero relaxar. Que tal sairmos hoje à noite... só nós dois? Você se sentiria melhor? Você não quer mesmo que eu vá na casa da sua irmã, não é? Vou atrapalhar a conversa das duas."

### Evitar conflitos – primeiros passos na biologia do apego

Quando se trata de conflitos, nem sempre é uma questão de quem fez o quê ou como chegar a um acordo, ou mesmo como expressar-se com mais efetividade. Às vezes, a compreensão da biologia básica do apego ajuda a evitar conflitos antes de acontecerem. A oxitocina, um hormônio e neuropeptídeo que andou recebendo muita atenção da imprensa nos últimos anos, desempenha um papel importante nos processos do apego e serve a diversos propósitos: faz as mulheres entrarem em trabalho de parto, fortalece o apego e serve como um hormônio de coesão social ao aumentar a confiança e a cooperação. Recebemos uma onda de oxitocina no cérebro durante o orgasmo e mesmo quando nos aninhamos nos braços do parceiro – por isso ela vem sendo chamada de "hormônio do amor".

Como a oxitocina está relacionada à redução de conflitos? Às vezes passamos menos tempo de qualidade com o parceiro – em especial quando outras demandas nos pressionam. Porém achados da neurociência sugerem que devemos mudar nossas prioridades. Ao abrir mão da proximidade com o outro, estamos também deixando de receber nossa dose de oxitocina – o que nos torna menos agradáveis para o mundo à nossa volta e mais vulneráveis ao conflito.

A próxima vez que decidir dispensar os carinhos matinais de domingo, na cama, para ter uma oportunidade de pôr em dia o trabalho – pense duas vezes. Esse pequeno ato pode ser suficiente para imunizar seu relacionamento contra o conflito pelos próximos dias.

## Por que os inseguros não encaram os conflitos

Diversos aspectos da mentalidade dos ansiosos e evitativos dificultam que eles adotem princípios seguros de resolução de conflitos.

Para os ansiosos, os conflitos deflagram preocupações muito básicas sobre a capacidade do parceiro diante de suas necessidades e também sobre rejeição e abandono. Quando uma disputa começa, eles são tomados por muitos pensamentos negativos e reagem usando comportamento de protesto, com o objetivo de garantir a atenção do parceiro. Podem fazer acusações graves, chorar ou dar um gelo no outro. Com medo de que o parceiro não esteja atento às suas necessidades, eles sentem que precisam realmente deixar uma marca para serem ouvidos. A reação, embora dramática, costuma ser ineficiente.

Aqueles com um estilo de apego evitativo também se sentem ameaçados pela possibilidade de não contarem com o companheiro quando precisarem. No entanto, para lidar com essas crenças, eles adotam a abordagem oposta – suprimem a necessidade de intimidade fechando-se do ponto de vista emocional e assumindo um ar defensivo de independência. Quanto mais pessoal se torna o conflito, maior seu desejo de afastamento da situação. Para isso, eles empregam estratégias de desativação – como encontrar defeitos no parceiro – para sentirem-se menos próximos.

Outro estudo, feito por Gary Creasey com a participação de Kathy Kershaw e Ada Boston, alunas da pós-graduação à época, descobriu que tanto os ansiosos quanto os evitativos empregam menos táticas positivas de resolução de conflitos, exprimem-se com mais agressividade e tendem mais ao distanciamento e à ampliação dos conflitos do que os seguros. Talvez as semelhanças em suas atitudes em relação aos conflitos – ou melhor, sua crença básica na indisponibilidade do parceiro e a dificuldade de expressar suas necessidades de forma efetiva – expliquem essa constatação.

## O problema de Paul e Jackie com filhos

Embora Jackie e Paul estejam saindo há mais de um ano e passem a maior parte das noites juntos, Paul tem três filhos que Jackie nunca encontrou. Os amigos e a família se preocupam com a situação e questionam o futuro do relacionamento.

Jackie tentou abordar a questão, mas Paul sente que ainda não está na hora – manter a estabilidade na vida dos filhos é importantíssimo para ele. Em fins de semanas alternados, quando Paul está com as crianças, ele fica inacessível para Jackie, que sente que pode provocar uma crise no relacionamento se tocar no assunto mais uma vez. Até mesmo em ocasiões apropriadas – quando Paul disse a ela quanto a amava e falou em comprarem uma casa juntos –, Jackie permaneceu em silêncio sobre a questão dos filhos e não fez declarações recíprocas de amor. Sente que se Paul realmente quisesse proximidade ele a deixaria entrar completamente em sua vida, com filhos e tudo.

Quando os pais de Jackie vêm para o jantar, Paul fica falando dos filhos e como são maravilhosos. Depois da sobremesa, o pai de Jackie convida Paul para dar uma volta. Diz a ele que seus filhos parecem incríveis e que ele espera que Jackie tenha a oportunidade de conhecê-los em breve, pois ele e a mulher gostam muito dele e querem ver o relacionamento se desenvolver. Paul garante que leva muito a sério o relacionamento. Nenhum dos dois menciona a conversa para Jackie.

Na semana seguinte, Jackie não tem a mínima ideia do que leva Paul a ficar tão silencioso e a responder suas perguntas com um simples "sim", "não" ou "não sei". Finalmente, ela pergunta o que há de errado. Ele responde de forma explosiva, queixando-se que foi criticado pelo pai dela por falar dos filhos, e lembra a ela das muitas vezes em que expressou seus sentimentos sem que ela correspondesse. Jackie responde que é difícil se abrir quando ele a deixa de fora de parte tão grande da sua vida. Em vez de se envolver na discussão, ele se levanta, faz as malas e sai, dizendo que precisa de "um pouco de espaço". Volta semanas depois, mas os dois ainda evitam falar no assunto e mudar a situação.

Exemplos típicos de pessoas com estilo de apego inseguro, tanto Jackie quanto Paul descumprem quase todas as regras para lidar com conflitos de forma segura. Nenhum dos dois comunica suas necessidades de forma efetiva; os dois evitam lidar com a questão do momento – apresentar Jackie aos filhos de Paul –, mas cada um por um motivo diferente. Paul tem uma opinião bem firme sobre o assunto – não quer que os filhos conheçam alguém a não ser que seja muito sério – e Jackie nunca respondeu a suas declarações de amor. Não ocorre a ele perguntar a Jackie se ela se incomoda de ficar distante dele em fins de semanas alternados, quando estão separados. Embora Paul diga que a ama, isso não o faz pensar que o que ela sente deve ser levado em consideração quando se trata dos seus filhos (uma característica típica dos evitativos). Ele também presume que, como não toca no assunto com muita frequência, Jackie não faz tanta questão assim.

Jackie, por sua vez, não fala mais sobre o encontro com os filhos porque está ansiosa e teme colocar o relacionamento em risco se insistir. Teme que Paul resolva que ela "não vale o esforço".

Paul também evita os princípios seguros quando escolhe não contar para Jackie a conversa com seu pai. Pior, quando finalmente falam sobre o assunto, em vez de se envolver, Paul se distancia por completo. Ele armazena sua raiva por tanto tempo que, quando Jackie pergunta qual é o problema, sua paciência já se esgotou e ele só consegue atacá-la. Jackie, que também é insegura, não tem condições de dar um jeito na situação. Em vez de tentar tranquilizá-lo, ela decide contra-atacar. Por ser ansiosa, interpreta as palavras de Paul como uma rejeição pessoal e reage de forma defensiva. Infelizmente, nenhum dos dois consegue ver além das próprias mágoas e enxergar toda a situação ou o que está acontecendo com o outro.

Como regra básica, os assuntos delicados – como o encontro de um dos parceiros com os filhos – sempre devem ser postos na mesa. Presuma que esses assuntos são importantes mesmo que não sejam abordados. Talvez não se encontre uma solução imediata, mas pelo menos vocês estão abertos para ouvir o outro e nenhum dos dois estará armazenando mágoas que irromperão de forma incontrolável em algum momento do futuro. E, claro, há mais chance de resolver a questão quando ela é discutida, e não ignorada.

## Como fazer os princípios seguros funcionarem para você

Pressupostos inseguros interferem na resolução de conflitos. Especificamente, centrar-se em suas necessidades e mágoas pode causar muitos problemas. É compreensível temer que alguém não esteja tão envolvido quanto você, do ponto de vista emocional, ou que não queira manter a mesma proximidade. Mas em situações de conflito tais preocupações podem ser muito prejudiciais. Ao entrar numa briga, tente manter na cabeça uma série de verdades:

- Uma única briga não destrói um relacionamento.
- Expresse seus medos! Não deixe que esses medos ditem as suas ações. Se teme ser rejeitado(a), diga isso.

- Não presuma que a culpa do mau humor do parceiro é sua. Muito provavelmente *não é* por sua causa.
- Acredite que seu parceiro *será* atencioso e receptivo; vá em frente e deixe claras as suas necessidades.
- Não espere que o outro saiba o que você está pensando. Se não disse a ele o que se passa na sua cabeça, ele não sabe!
- Não suponha que você compreende o que seu parceiro diz. Se estiver em dúvida, pergunte.

Um conselho: é sempre mais efetivo presumir *o melhor* em situações de conflito. De fato, esperar o pior – o que é típico das pessoas com estilos inseguros de apego – costuma funcionar como uma profecia autorrealizável. Se presume que o seu parceiro irá agir de forma agressiva ou rejeitá-lo, você tem uma reação automática na defensiva – começando assim um círculo vicioso de negatividade. Embora talvez seja necessário algum esforço para se convencer das "verdades positivas" anteriormente mencionadas (mesmo sem muita convicção, a princípio), vale a pena o esforço. Na maioria dos casos, elas conduzirão o diálogo na direção certa.

*\*\*\**

Em resumo, eis os hábitos que você deve evitar durante as brigas:

### Estratégias inseguras a evitar em um conflito

1. Desviar-se do problema real.
2. Negligenciar a comunicação efetiva de seus sentimentos e necessidades.
3. Recorrer a ataques pessoais e comportamentos destrutivos.
4. Reagir na base do "olho por olho, dente por dente" diante da negatividade de um parceiro oferecendo mais negatividade.
5. Distanciar-se.
6. Esquecer-se de se concentrar no bem-estar do outro.

※ ※ ※

O conflito de Paul e Jackie, na realidade, tem relação com a intimidade; não é do tipo "feijão com arroz". Mencionamos a questão para demonstrar como é fácil, numa única briga, infringir quase todas as regras listadas anteriormente. Apesar do amor que sentem um pelo outro, eles (1) se desviam do problema real ("Seu pai me criticou por falar dos meus filhos."); (2) obviamente nunca comunicam com efetividade suas necessidades e seus sentimentos. Muito deixa de ser dito, especialmente por Jackie, que (5) recorre ao distanciamento emocional e não reage às tentativas de Paul para se aproximar de outros modos. Quando finalmente conversam, depois de uma semana de silêncio (5, de novo), eles se envolvem em uma disputa tipo "olho por olho, dente por dente" (4). Os dois com certeza estão mergulhados nas próprias preocupações e (6) têm grande dificuldade em se concentrar no bem-estar mútuo durante o relacionamento e particularmente quando discutem.

### Estratégias de conflito na prática

O primeiro passo para identificar suas próprias táticas e modificá-las é aprender a reconhecer estratégias de conflito efetivas e não efetivas. Examine as situações a seguir e tente determinar se os casais lidam com suas diferenças a partir de princípios seguros ou inseguros. Se achar que os princípios usados são inseguros, liste os princípios seguros que poderiam ter sido empregados.

**1.** Marcus fez uma reserva para um cruzeiro (quase exclusivo) para solteiros pelo Brasil antes de começar a sair com Daria há seis meses. Daria não se sente à vontade ao pensar que Marcus fará essa viagem sem ela, além de não gostar de cruzeiros. Quando toca no assunto com Marcus, ele responde: "E agora tenho que fazer tudo com você? Você não gosta mesmo dessas coisas, por que se importa? Além do mais já paguei por tudo. O que quer que eu faça? Quer que eu perca 3 mil dólares?"

A reação de Marcus é:
☐ Segura
☐ Insegura

Táticas inseguras usadas por Marcus:
_____
_____

Táticas seguras que Marcus poderia usar:
_____
_____

**Resposta: Insegura.** Marcus recorre a todo um elenco de táticas inseguras. Generaliza o conflito, atacando a parceira ("O que quer que eu faça? Quer que eu perca 3 mil dólares?") e fazendo com que ela pareça carente e excessivamente dependente ("E agora tenho que fazer tudo com você?"). Ele não se mantém concentrado no problema que é a preocupação de Daria com a possibilidade de que ele não se mantenha fiel. Prefere fugir do assunto e discutir o dinheiro e a carência de Daria.

Táticas seguras que Marcus poderia usar: O melhor conselho para Marcus seria se concentrar no problema em questão. A preocupação de Daria é real e, enquanto ele não tratar disso, a questão permanecerá sem solução.

**2.** Depois da reação do namorado na situação 1, Daria cede. Pede desculpas por ter tocado no assunto. Afinal de contas, era uma viagem planejada antes mesmo de se conhecerem. Sente-se mal por ser tão pouco razoável, tão exigente e dependente.

A reação de Daria é:
☐ Segura
☐ Insegura

Táticas inseguras usadas por Daria:

_____

_____

Táticas seguras que Daria poderia ter usado:

_____

_____

**Resposta: Insegura.** Qual é o problema de Daria? Seu parceiro vai participar de um cruzeiro para solteiros pelo Brasil depois de seis meses de relacionamento? Ela certamente deveria expressar sua frustração. Mas em vez de falar abertamente das suas preocupações, ela recua. Teme que o relacionamento termine se ela disser o que passa pela sua cabeça e por isso tenta desfazer os danos pedindo desculpas por ter tocado no assunto. Ao fazer isso, Daria está concordando com um novo pacto silencioso no relacionamento: que seus sentimentos e preocupações não são importantes.

Táticas seguras que Daria poderia usar: Ela devia comunicar de forma efetiva suas necessidades. Dizer a Marcus quais são suas preocupações e como se sente ansiosa em relação ao futuro dos dois diante da aproximação das férias dele. A reação de Marcus ao uso da comunicação efetiva será bem significativa. Se ele continuar a menosprezá-la e a desvalorizar seus sentimentos, Daria deve perguntar a si mesma se quer ficar com alguém assim a longo prazo.

**3.** No carro, Ruth diz para John como está preocupada com as dificuldades que a filha dos dois tem em matemática. John faz sinais com a cabeça durante todo o tempo, mas não diz muita coisa. Depois de alguns minutos, Ruth desabafa: "Por que este seria um problema exclusivamente meu? Ela também é sua filha, mas você não parece se importar. Não está preocupado com ela?" John se surpreende com o ataque. Depois de mais ou menos um minuto, ele diz: "Estou realmente exausto e dirigir o carro está consumindo toda a minha energia. Estou muito preocupado também, mas mal consigo me concentrar na estrada no momento."

A reação de John é:
☐ Segura
☐ Insegura

Táticas inseguras usadas por John:
_____
_____

Táticas seguras que John poderia usar:
_____
_____

**Resposta: Segura.** Pessoas seguras não são santas! Podem se cansar e ficar impacientes às vezes. E sua mente vaga como a de todo mundo. A chave é o modo como reagem diante dos conflitos. Repare na forma como John não faz retaliações nem age na defensiva quando Ruth ataca. Ele mantém o foco no problema, responde de forma direta ("Estou realmente exausto...") e demonstra uma preocupação genuína com o bem-estar da esposa ao validar suas preocupações ("Estou muito preocupado também.").

Táticas seguras que John poderia usar: John foi muito bem na situação. Evitou que o conflito se ampliasse e acalmou sua parceira. Imagine se ele tivesse retrucado: "Caramba! Não está vendo como estou cansado? O que está querendo? Meter a gente num acidente?" Por sorte, ele compreendeu que a acusação da esposa vinha da sua angústia e não de uma crítica. Ele enfrentou o problema real, garantindo a ela que os dois são parceiros no que diz respeito à filha.

**4.** Steve, que vem saindo com Mia há algumas semanas. Liga para ela na tarde de sexta-feira para perguntar se ela gostaria de se juntar a ele e seus amigos naquela noite, num bar. Mia fica aborrecida porque Steve quase sempre quer que os dois saiam com os amigos dele, enquanto ela prefere encontrar-se só com ele. "Tem mesmo tanto medo assim de ficar sozinho comigo? Não mordo, sabia?", diz ela, em tom de brincadeira. Depois de um silêncio desconfortável, Steve responde: "Muito bem, telefone mais tarde se quiser ir", e desliga.

A reação de Steve é:
☐ Segura
☐ Insegura

Táticas inseguras usadas por Steve:
_____
_____

Táticas seguras que Steve poderia usar:
_____
_____

A reação de Mia é:
☐ Segura
☐ Insegura

Táticas inseguras usadas por Mia:
_____
_____

Táticas seguras que Mia poderia usar:
_____
_____

**Resposta: Steve – inseguro.** Steve tenta evitar o confronto ou uma conversa íntima e se distancia em vez de se envolver. Não tenta descobrir o que passa pela cabeça de Mia. Simplesmente desaparece.

Táticas seguras que ele poderia usar: Para começar, parece que Steve não está realmente interessado em nada sério. Do contrário, não escolheria trazer uma turma de amigos em todos os encontros com Mia. No entanto, se quiser que o relacionamento dê certo, Steve deve se concentrar no problema e perguntar o que Mia queria dizer com aquela frase. É verdade que ela parecia um pouco cínica, mas se Steve fosse esperto (e seguro) não levaria aquilo para o lado pessoal. Tentaria ver o que estava acontecendo ou o que estava passando pela cabeça dela e como aquilo poderia servir para levar o relacionamento para um patamar mais alto (e mais íntimo).

**Resposta: Mia – insegura.** E Mia? Sua reação também foi insegura. A tentativa de comunicar suas necessidades de forma efetiva soou um tanto como um ataque. Ela agora ficará se perguntando se ele ficou aborrecido, se ele achou que ela estava fazendo uma crítica.

Táticas seguras que Mia poderia usar: Mia podia ter dito algo como "Você sabe, prefiro não ficar com a turma o tempo todo. Gosto de ficar sozinha com você. Que tal fazermos alguns planos?" (comunicando suas necessidades de forma efetiva). A reação de Steve teria revelado se ele é capaz de dar ouvidos ao que sua parceira deseja e acomodar suas necessidades.

**5.** Sentados em um café de rua, Emma repara que Todd, seu namorado, olha para outras mulheres quando elas passam.
– Eu realmente odeio quando você faz isso. É tão humilhante – reclama ela.
– O que está querendo dizer? – responde ele, inocentemente.
– Sabe muito bem o que quero dizer. Você está olhando para elas.
– Ridículo! Para onde você quer que eu olhe? E mesmo se estivesse olhando, mostre-me um cara que não fique olhando para as mulheres bonitas. Isso não quer dizer absolutamente nada.

A reação de Todd é:
☐ Segura
☐ Insegura

Táticas inseguras usadas por Todd:
_____
_____

Táticas seguras que Todd poderia usar:
_____
_____

A reação de Emma é:
☐ Segura
☐ Insegura

Táticas inseguras usadas por Emma:
_____
_____

Táticas seguras que Emma poderia usar:
_____
_____

**Resposta: Todd – Insegura.** Todd evita as preocupações ocultas de Emma – sentir-se pouco atraente e pouco apreciada quando ele olha para outras mulheres. Em vez disso, ele recorre ao distanciamento, quando deveria se aproximar. A princípio, "não faz ideia" sobre o que ela está falando, depois minimiza a importância do seu argumento ao dizer que é apenas uma parte da natureza do macho. Trata-se de um exemplo de comunicação não efetiva em seu pior momento. Nada se resolve. Ela vai continuar a se sentir aborrecida com o comportamento dele e ele se sentirá justificado e certíssimo em continuar a agir daquele modo.

Táticas seguras que Todd poderia usar: A abordagem segura teria sido mostrar preocupação com o bem-estar de Emma, dizendo que compreende como seu ato de olhar para outras mulheres a incomoda. Ele também poderia tentar entender o que realmente a incomoda nesse comportamento e tranquilizá-la dizendo que ele acha que ela é linda (mantendo o foco no problema em questão). Poderia pedir que ela lembrasse a ele na próxima ocasião que agisse assim, para tentar mudar seu comportamento. "Sinto muito. É um hábito, mas percebo agora que é irritante e desrespeitoso com você. Afinal de contas, eu me aborreço quando outros homens a olham, mesmo quando você não percebe! Tentarei ser mais respeitoso e, se tiver uma recaída, quero que me chame atenção."

**Resposta: Emma – Segura.** Emma comunica suas necessidades de forma efetiva. Diz para Todd, de modo direto, não acusatório (ou não tão acusatório como poderia ser nessas circunstâncias), como seus atos a fazem se sentir.

Táticas seguras que Emma poderia usar: Ela foi bem.

**6.** A irmã de Dan vem tomar conta dos filhos de Dan e Shannon para que eles saiam e passem um tempo juntos, algo de que os dois tanto precisam. Quando voltam, Shannon vai direto para o quarto enquanto Dan conversa com a irmã. Mais tarde, Dan vai para o quarto, furioso: "Minha irmã está nos fazendo um imenso favor ao tomar conta das crianças. O mínimo que você podia ter feito era dizer oi para ela!" Shannon responde: "Fiz mesmo isso? Não disse oi? Estou tão exausta. Não tive essa intenção. Sinto muito."

A reação de Shannon é:

☐ Segura
☐ Insegura

Táticas inseguras usadas por Shannon:
_____
_____

Táticas seguras que Shannon poderia usar:
_____
_____

**Resposta: Segura.** Shannon evita riscos inseguros. Ela evita generalizar o conflito, não reage na defensiva nem recorre ao contra-ataque. Não pratica o olho por olho, dente por dente. Mantém o foco no problema em questão e reage apenas a ele. Isso não quer dizer que a raiva de Dan irá desaparecer. Na verdade, é bem provável que ele continue irritado. Mas Shannon conseguiu aparar as arestas da raiva e evitar que a situação ficasse mais séria. Sua resposta mostra como reagir com segurança aos conflitos é algo bem simples. Não requer habilidades verbais nem psicológicas. No final das contas, pode ser apenas um pedido de desculpas simples, mas sincero.

# Epílogo

Para nós, a mais importante mensagem que se poderia tirar deste livro é a de que os relacionamentos não devem ser deixados ao acaso. Os relacionamentos constituem uma das experiências humanas mais compensadoras, muito além de outros presentes que a vida tem a oferecer. De fato, um estudo descobriu que, entre mais de 300 estudantes universitários, 73% estavam dispostos a sacrificar a maioria de suas metas na vida por um relacionamento amoroso. Mas, apesar da importância que damos aos nossos vínculos mais íntimos, a maioria de nós sabe muito pouco sobre a ciência por trás dos relacionamentos românticos, o que faz com que sejamos guiados, muito frequentemente, por visões equivocadas e mitos.

Mesmo nós dois, depois de estudarmos com profundidade a ciência por trás dos estilos de apego adultos, nos pegamos ocasionalmente recaindo em padrões familiares de pensamento quando ouvimos determinada história de amor ou quando assistimos a uma comédia romântica que toca no nosso antigo ponto fraco. Vimos recentemente um filme muito popular e nos aconteceu exatamente isso. No filme, um rapaz se apaixona completamente por uma mulher bonita e inteligente. Ele é consumido pelo desejo de passar o resto da vida ao seu lado. A mulher, por sua vez, está determinada a permanecer livre e sem laços – e diz isso para ele desde o início. Durante toda a história, ela envia mensagens contraditórias. Ora flerta, ora provoca, o que permite que ele continue a ter esperanças de um final feliz. Mas, em uma reviravolta pouco característica dos filmes de Hollywood, ela parte seu coração. Mais tarde, ele descobre que ela se casou com o homem de seus sonhos e que os dois vivem felizes para sempre (Quer dizer, até onde ele sabe – e nós sabemos – porque o filme termina aí.)

Nossa primeira reação, juntamente com o resto da plateia, foi a de nos apaixonarmos pela mulher. Ela era forte, intensa, independente – um verdadeiro espírito livre. E era sincera. Logo no início alertou-o de que não estava à procura de um relacionamento sério. Não podíamos culpá-la por isso. Além do mais, ele obviamente não era o sujeito certo para ela (afinal de contas, soubemos que ela encontrou "a pessoa certa"). Durante boa parte do filme, também ficamos encantados com a possibilidade romântica de que ela viesse a se abrir, de que ele pudesse conquistá-la. Embora o filme começasse com um *spoiler* – dizendo que não se tratava de uma história de amor –, nunca deixamos de esperar que os dois protagonistas terminassem o filme caminhando juntos ao pôr do sol.

Pensando bem, logo percebemos que tínhamos caído em todas as possíveis esparrelas dos relacionamentos românticos. Mesmo nós dois, com nossa compreensão profissional da ciência por trás do comportamento mais íntimo, tínhamos voltado a nossas velhas crenças – muito inúteis, diga-se de passagem. Permitimos que alguns equívocos profundamente estabelecidos influenciassem nosso pensamento.

O primeiro equívoco é achar que *todo mundo tem a mesma capacidade para a intimidade*. Fomos criados para crer que qualquer um pode se apaixonar profundamente (essa parte talvez seja verdade) e que, quando isso acontece, o indivíduo será transformado em uma pessoa diferente (essa parte não é verdade!). Independentemente de como eram antes, quando encontram "a pessoa certa", todos se tornam supostamente parceiros amantíssimos, fiéis e solícitos – livres de questões com o relacionamento. É tentador esquecer-se de que, de fato, *as pessoas têm capacidades muito diferentes para a intimidade*. E que, quando a necessidade de alguém para a proximidade encontra a necessidade do outro para a independência e a distância, muita infelicidade se segue. Estando cientes desse fato, os dois podem se orientar de modo mais preciso pelo mundo do namoro até encontrar alguém com necessidades de intimidade semelhantes às suas (se você for desimpedido) ou alcançar uma compreensão nova sobre as necessidades díspares em uma relação já existente – um primeiro e necessário passo para conduzi-la em uma direção mais segura.

O segundo equívoco comum que nos vitima é achar que o *casamento é tudo e ponto-final*. As histórias românticas tendem a terminar aí e ficamos tentados a crer que, quando alguém se casa, temos uma prova inequívoca do poder do amor para a transformação, uma prova de que a decisão de casar significa que ambos estão prontos para a verdadeira proximidade e para a parceria emocional. Não gostamos de admitir que as pessoas podem entrar no matrimônio sem ter essas metas em mente – isto sem falar da capacidade de realizá-las. Queremos crer, como esperávamos no filme, que uma vez casado qualquer um pode mudar e dar a seu cônjuge o tratamento de realeza (sobretudo se as duas pessoas estão profundamente apaixonadas).

Neste livro, porém, mostramos como *estilos de apego mal combinados podem levar a muita infelicidade no casamento, até mesmo entre pessoas que se amam demais*. Se estiver nesse tipo de relacionamento, não se sinta culpado por se sentir incompleto ou insatisfeito. Afinal de contas, suas necessidades mais básicas não são supridas e o amor, por si só, não é suficiente para fazer o relacionamento dar certo. Se você leu este livro e compreende onde cada um dos dois está em termos de estilos de apego, você agora pode enfrentar o problema de um ângulo muito diferente.

O terceiro equívoco difícil de abandonar é achar que *cada um de nós, sozinho, é responsável por nossas necessidades emocionais; elas não são responsabilidade de nossos parceiros*. Quando os pretendentes em potencial fazem uma verdadeira "leitura dos direitos" (ver capítulo 11) no início do relacionamento, dizendo um ao outro que não estão prontos para um compromisso e renunciando à responsabilidade pelo bem-estar do outro, ou quando tomam decisões unilaterais em um relacionamento longo sem levar em conta as necessidades do outro, logo tais termos são aceitos. Essa lógica se tornou muito natural para as pessoas e os amigos talvez digam "Eles avisaram antes que não queriam compromisso" ou "Eles sempre disseram como essa questão é importante, por isso você só pode culpar a si mesma". Mas, quando estamos apaixonados e queremos dar sequência a um relacionamento, tendemos a ignorar as mensagens contraditórias que recebemos. Em vez de reconhecermos que alguém que desconsidera por completo nossas emoções não será um bom parceiro, nós aceitamos essa atitude. Mais uma vez, é preciso que nos lembremos constantemente: *Numa verdadeira parceria,* os dois *consideram como responsabilidade assegurar o bem-estar emocional mútuo.*

Assim que nos livramos dessas ilusões, o filme, como tantas situações na vida, assume um significado bem diferente. O argumento se torna previsível e perde boa parte da mística. Deixa de ser uma história clássica de romance e passa a ser a história de um encontro entre uma pessoa com estilo evitativo e outra com estilo ansioso. Ele tem necessidade de intimidade e ela foge disso. O final da história estava claro desde o início, mas o herói não conseguia perceber. O fato de a mulher que ele amava ter se casado com outro não muda a realidade de ela ser do tipo evitativo e não prevê nada sobre sua felicidade (ou sobre a felicidade de seu marido) no casamento. É bem provável que ela tenha continuado com seu comportamento e se distanciado do marido de muitos modos. Até onde sabemos, o herói se tornou o ex "fantasma".

O filme simplesmente nos ensinou como é difícil nos livrarmos de conceitos nos quais acreditamos durante toda a vida – por mais inúteis que sejam. Mas ver-se livre dessas ideias é um passo necessário. Cultivá-las pode ser altamente destrutivo. Elas nos encorajam a abrir mão da nossa autoestima e da nossa felicidade ao ignorarmos nossas necessidades mais básicas e tentarmos ser algo que não somos.

Acreditamos que todo mundo merece experimentar os benefícios de um vínculo seguro. Quando a pessoa que amamos age como nossa base segura e nossa âncora emocional, encontramos forças e coragem para ir para o mundo e viver uma vida mais plena. O outro está ali para nos ajudar a ser a melhor pessoa possível (e vice-versa).

Não perca de vista estes fatos:

- suas necessidades de apego são legítimas;
- você não deve se sentir mal por depender da pessoa mais próxima – isso é parte de sua composição genética;
- do ponto de vista do apego, um relacionamento deve fazer com que você se sinta mais autoconfiante. Deve lhe dar paz de espírito e, se isso não acontece, é melhor prestar atenção;
- acima de tudo, permaneça fiel ao seu eu autêntico – joguinhos só distanciam você do objetivo supremo que é encontrar a felicidade verdadeira, seja com quem você está agora ou com outra pessoa.

Esperamos que você empregue a sabedoria sobre relacionamento contida neste livro, que se baseia em mais de duas décadas de pesquisa, para encontrar felicidade em suas ligações amorosas e para voar alto em todos os aspectos da sua vida. Se conseguir aplicar os princípios do apego que delineamos, você estará dando a si mesmo, efetivamente, a melhor chance de encontrar – e de manter – uma relação amorosa gratificante em vez de deixar um dos aspectos mais importantes da sua vida entregue ao acaso.

# Agradecimentos

Somos gratos a muitas pessoas pela ajuda recebida durante o processo de escrita deste livro. Em primeiro lugar e acima de tudo, agradecemos à nossa família pelo apoio. Estendemos também um agradecimento muito especial a Nancy Doherty, pelo notável trabalho editorial e pelo constante encorajamento. Ela é mesmo uma pessoa excepcional!

Somos gratos à nossa agente Stephanie Kip-Rostan por sua ajuda e por nos apresentar a Sara Carder, nossa editora na Tarcher, que "entendeu" o livro quando ele ainda não passava de um esboço. As percepções e as visões de Sara foram valiosíssimas. Agradecemos a todo o time da Tarcher pelo grande trabalho realizado. Além disso, gostaríamos de fazer um agradecimento especial a Eddie Sarfaty, Jezra Kaye, Jill Marsal, Giles Anderson e Smriti Rao. Agradecemos a Ellen Landau e a Lena Verdeli por seus valiosos comentários em trechos do manuscrito. Somos muito gratos também a Tziporah Kassachkoff, Donald Chesnut, Robert Risko, David Sherman, Jesse Short, Guy Kettelhack, Alexander Levin, Arielle Eckstut, Christopher Gutafson, Oren Tatcher, Dave Shamir, Amnon Yekutieli, Christopher Bergland, Don Summa, Blanche Mackey, Leila Livingston, Michal Malachi Cohen, Adi Segal e a Margaret e Michael Korda. Agradecimento especial para Dan Siegel por suas palavras encorajadoras sobre o nosso manuscrito e pelo feedback importante que nos forneceu.

Queremos agradecer aos voluntários que compartilharam conosco suas experiências íntimas e seus pensamentos pessoais. Também gostaríamos de agradecer a todos que preencheram os questionários de Apego Adulto Aplicado e que nos deram retornos na versão beta. Cada uma dessas pessoas nos ensinou algo útil.

Escrever este livro teria sido impossível sem o rico legado das pesquisas inovadoras sobre o apego, nossa fonte de inspiração. Temos dívidas eternas com os pesquisadores que fizeram descobertas revolucionárias neste campo. Eles nos introduziram a um modo diferente – e engenhoso – de encarar os relacionamentos.

*De Rachel*

Agradeço a toda a equipe do Modi'in Educational Psychology Service, onde trabalhei nos últimos quatro anos. Seu conhecimento, sua perspicácia e sua sabedoria coletiva permitiram que eu me tornasse uma psicóloga melhor – tanto como terapeuta quanto nos diagnósticos. Trabalhar em um ambiente acolhedor e rigoroso permitiu que eu continuasse meu aprendizado e que expandisse meus horizontes diariamente.

Agradeço ao Shinui Institute for Family and Marriage Therapy pela introdução à perspectiva de sistemas na psicoterapia, encorajando-me a encarar e tratar sintomas dentro do contexto mais amplo possível, levando em consideração o forte impacto causado em nossa vida pelos nossos relacionamentos mais íntimos. Agradeço também a Batya Krieger, minha primeira supervisora de terapia, por todo o encorajamento e pela orientação.

Estendo agradecimentos especiais às pessoas que influenciaram meu pensamento no início de minha carreira, incluindo o Dr. Harvey Hornstein, que além de professor e profissional notável também é uma pessoa excepcionalmente generosa, e o dr. W. Warner Burke, por sua sabedoria e inspiração – ambos na Universidade Columbia.

Expresso minha gratidão a meus pais: meu pai, Jonathan Frankel, que, para minha tristeza, não viveu para ver a realização deste projeto, e minha mãe, Edith Rogovin Frankel, que me ajuda de múltiplas formas.

Também sou grata a meu marido, Jonathan – por seu amor, seu apoio, sua amizade, sua sabedoria –, e a meus três filhos que acrescentam profundidade e significado à minha vida todos os dias.

*De Amir*

Tive muita sorte em encontrar um lar intelectual nos últimos doze anos nos departamentos de Psiquiatria e Neurociência da Universidade Columbia, onde tenho a oportunidade de trabalhar com clínicos e pesquisadores magníficos. Sou grato a muitos professores, supervisores, mentores e colegas que enriqueceram minha vida e meu pensamento. Agradeço especificamente àqueles que tiveram uma influência contínua no meu caminho: Dra. Rivka Eiferman, na Universidade Hebraica em Jerusalém, que me ensinou a atitude analítica e como evitar julgamentos ao ouvir os pacientes; o falecido Dr. Jacob Arlow, cuja obra ajudou a formar o núcleo do moderno pensamento analítico e com quem tive a sorte de ter aprendido a prática psicoterapêutica; Dra. Lisa Mellman e Dr. Ron Rieder, que forneceram ajuda fundamental para meu desenvolvimento como clínico e pesquisador; Dr. Daniel Schechter, psiquiatra e pesquisador do Projeto Pais-Filhos na Universidade Columbia, que me introduziu à terapia baseada em apego com crianças e pais no berçário terapêutico; Dra. Abby Fyer, com quem aprendi um bocado em conversas ao longo dos anos e que me ensinou sobre a importância do sistema opioide no apego; Dra. Clarice Kestenbaum, por me ensinar a trabalhar com crianças e jovens adultos de um modo muito especial, e Dr. David Schaffer, que tornou possível minha carreira como pesquisador.

Agradeço também à Dra. Dolores Malaspina, que me ensinou o básico sobre pesquisa epidemiológica e a importância das amostras comunitárias em medicina; ao Dr. Bill Byne, que debateu comigo a literatura sobre a não conformidade de gênero na infância e me ensinou a ler a literatura científica de um modo crítico; e aos doutores Ann Dolinsky, David Leibow e Michael Liebowitz, pelos ensinamentos, conhecimentos e experiências em clínica compartilhados comigo. Agradeço ao Dr. Rene Hen pelo apoio ao longo dos anos; ao Dr. Myron Hofer, cuja abordagem no estudo do desenvolvimento em modelos animais e cuja obra sobre os efeitos do apego precoce no fenótipo adulto são exemplares. Prezo sua confiança no meu trabalho e aprecio sua orientação.

Gostaria de expressar meu apreço e minha admiração por meus atuais colaboradores, Dr. Eric Kandel, Dra. Denise Kandel, Dr. Samuel Schacher e Dra. Claudia Schmauss. Trabalhar com eles desafia da melhor forma possível meu intelecto e meu raciocínio.

Agradecimentos especiais ao falecido Dr. Jimmy Schwartz, que me ofereceu a primeira oportunidade para realizar pesquisa em neurociência; ao Dr. Herb Kleber, por sua política de portas abertas e suas discussões esclarecedoras; à Dra. Francine Cournos, minha primeira supervisora de terapia de longo prazo, por todo o apoio que me deu com o passar dos anos; e a todos os amigos e colegas com quem tive a sorte de trabalhar, que me beneficiaram com sua sabedoria.

Agradeço aos National Institutes of Health pelo apoio contínuo à minha pesquisa, o que contribuiu para a escrita deste livro.

Gostaria de expressar uma gratidão especial à minha família. Tê-los como minha base segura me dá coragem para explorar o mundo. E por último e não menos importante, agradeço a todos os meus pacientes, crianças e adultos, por dividirem suas dificuldades e esperanças, sonhos e frustrações. Fazer parte da vida de vocês me tornou uma pessoa melhor, mais rica.

# Bibliografia

Atkinson, L.; Niccols, A; Paglia, A. et al. "A Meta-Analysis of Time Between Maternal Sensitivity and Attachment Assessments: Implications for Internal Working Models in Infancy/Toddlerhood". *Journal of Social and Personal Relationships*, vol. 17, nº 8, pp. 791-810, 2000.

Baker, B.; Szalai, J. P.; Paquette, M.; Tobe, S. "Marital Support, Spousal Contact, and the Course of Mild Hypertension". *Journal of Psychosomatic Research*, vol. 55, nº 3, pp. 229-233, setembro de 2003.

Brassard, A.; Shaver, P. R.; Lussier, Y. "Attachment, Sexual Experience, and Sexual Pressure in Romantic Relationships: a Dyadic Approach". *Personal Relationships*, vol. 14, nº 3, pp. 475-494, 2007.

Brennan, K. A.; Clark, C. L.; Shaver, P. R. "Self-Report Measurement of Adult Romantic Attachment: an Integrative Overview". *In*: Simpson, J. A.; Rholes, W. S. (eds.). *Attachment Theory and Close Relationships*. Nova York: Guilford Press, 1998, pp. 46-76.

Cassidy, J.; Shaver, P. R. *Handbook of Attachment: Theory, Research, and Clinical Applications*. Nova York: Guilford Press, 1999.

Ceglian, C. P.; Gardner, S. "Attachment Style: a Risk for Multiple Marriages?". *Journal of Divorce and Remarriage*, vol. 31, nº 1-2, pp. 125-139, 1999.

Coan, J. A; Schaefer, H. S.; Davidson, R. J. "Lending a Hand: Social Regulation of the Neural Response to Threat". *Psychological Science*, vol. 17, nº 12, pp. 1032-1039, 2006.

Cohn, D. A; Silver, D. H.; Cowan, C. P. et al. "Working Models of Childhood Attachment and Couple Relationships". *Journal of Family Issues*, vol. 13, pp. 432-449, 1992.

Collins, N. L.; Read, S. J. "Adult Attachment, Working Models, and Relationship Quality in Dating Couples". *Journal of Personality and Social Psychology*, vol. 58, nº 4, pp. 644-663, 1990.

Creasey, G.; Hesson-McInnis, M. "Affective Responses, Cognitive Appraisals, and Conflict Tactics in Late Adolescent Romantic Relationships: Associations with Attachment Orientations". *Journal of Counseling Psychology*, vol. 48, nº 1, pp. 85-96, 2001.

Creasey, G.; Kershaw, K.; Boston, A. "Conflict Management with Friends and Romantic Partners: The Role of Attachment and Negative Mood Regulation Expectancies". *Journal of Youth and Adolescence*, vol. 28, pp. 523-543, 1999.

Feeney, B. C. "A Secure Base: Responsive Support of Goal Strivings and Exploration in Adult Intimate Relationships". *Journal of Personality and Social Psychology*, vol. 87, nº 5, pp. 631-648, 2004.

Feeney, B. C.; Thrush, R. L. "Relationship Influences on Exploration in Adulthood: the Characteristics and Functions of a Secure Base". *Journal of Personality and Social Psychology*, vol. 98, nº 1, pp. 57-76, 2010.

Fraley, R. C.; Niedenthal, P. M.; Marks, M. J. et al. "Adult Attachment and the Perception of Facial Expressions of Emotion: Probing the Hyperactivating Strategies Underlying Anxious Attachment". *Journal of Personality*, vol. 74, nº 4, pp. 1163-1190, 2006.

Fraley, R. C.; Waller, N. G.; Brennan, K. A. "An Item Response Theory Analysis of Self-Report Measures of Adult Attachment". *Journal of Personality and Social Psychology*, vol. 78, nº 2, pp. 350-365, 2000.

George, C.; Kaplan, N.; Main, M. "Adult Attachment Interview Protocol" (manuscrito). Berkeley: Universidade da Califórnia, 1984.

Gillath, O.; Bunge, S. A.; Shaver, P. R.; Wendelken, C.; Mikulincer, M. "Attachment-Style Differences in the Ability to Suppress Negative Thoughts: Exploring the Neural Correlates". *NeuroImage*, vol. 28, nº 4, pp. 835-847, 2005.

Gillath, O.; Selcuk, E.; Shaver, P. R. "Moving Toward a Secure Attachment Style: Can Repeated Security Priming Help?". *Social and Personality Psychology Compass*, nº 214, pp. 1651-1666, 2008.

Gillath, O.; Shaver, P. R. et al. "Genetic Correlates of Adult Attachment Style". *Personality and Social Psychology Bulletin*, nº 34, pp. 1396-1405, 2008.

Gray, J. *Homens são de Marte, mulheres são de Vênus*. Rio de Janeiro: Rocco, 1995.

Hammersla, J. F.; Frease-McMahan, L. "University Students' Priorities: Life Goals vs. Relationships". *Sex Roles: a Journal of Research*, vol. 23, nº 1-14, pp. 1-2, 1990.

Hazan, C.; Shaver, P. R. "Romantic Love Conceptualized as an Attachment Process". *Journal of Personality and Social Psychology*, vol. 52, nº 3, pp. 511-524, 1987.

Hazan, C.; D. Zeifman, D.; Middleton, K. "Adult Romantic Attachment, Affection, and Sex". Trabalho apresentado na 7ª Conferência Internacional sobre Relacionamentos Pessoais, Groninger, Países Baixos, julho de 1994.

Johnson, S. Susan M. Johnson, Ed. D.; Valerie E. Whiffen, Ph.D.; eds. *Attachment Processes in Couple and Family Therapy*. Nova York: Guilford Press, 2003.

Keelan, J. R; Dion, K. L.; Dion, K. K. "Attachment Style and Heterosexual Relationships Among Young Adults: A Short-Term Panel Study". *Journal of Social and Personal Relationships* 11, pp. 141-160, 1994.

Kirkpatrick, L. A.; Davis, K. E. "Attachment Style, Gender, and Relationship Stability: A Longitudinal Analysis". *Journal of Personality and Social Psychology* 66, pp. 502-512, 1994.

Krakauer, J. *Na natureza selvagem*. São Paulo: Companhia das Letras, 1998.

Mikulincer, M; Florian, V.; Hirschberger, G. "The Dynamic Interplay of Global, Relationship-Specific, and Contextual Representations of Attachment Security". Trabalho apresentado na reunião anual da Society for Personality and Social Psychology, Savannah, Ga, 2002.

Mikulincer, M; Goodman, G. S. *Dynamics of Romantic Love: Attachment, Caregiving, and Sex*. Nova York: Guilford Press, 2006.

Mikulincer, M; Shaver, P. R. *Attachment in Adulthood: Structure, Dynamics, and Change*. Nova York: Guilford Press, 2007.

Pietromonaco, P. R; Carnelley, K. B. "Gender and Working Models of Attachment: Consequences for Perceptions of Self and Romantic Relationships". *Personal Relationships* 1, pp. 63-82, 1994.

Rholes, W. S; Simpson, J. A. *Adult Attachment: Theory, Research, and Clinical Implications*. Nova York: Guilford Press, 2004.

Schachner, D. A.; Shaver, P. R. "Attachment Style and Human Mate Poaching". *New Review of Social Psychology* 1, pp. 122-129, 2002.

Shaver, P. R.; Mikulincer, M. "Attachment-Related Psychodynamics". *Attachment and Human Development* 4, pp. 133-161, 2000.

Siegel, D. J. *The Developing Mind: How Relationships and the Brain Interact to Shape Who We Are*. Nova York: The Guilford Press, 2001.

_____. *Mindsight: The New Science of Personal Transformation*. Nova York: Bantam, 2010.

_____. *Parenting from the Inside Out. How a Deeper Self-Understanding Can Help You Raise Children Who Thrive*. Nova York: Tarcher/Penguin, 2003.

Simpson, J. A. "Influence of Attachment Styles on Romantic Relationships". *Journal of Personality and Social Psychology* 59, pp. 971-980, 1990.

Simpson, J. A; Ickes, W.; Blackstone, T. "When the Head Protects the Heart: Empathic Accuracy in Dating Relationships". *Journal of Personality and Social Psychology* 69, pp. 629-641, 1995.

Simpson, J. A.; Rholes, L. Campbell; Wilson, C. L. "Changes in Attachment Orientations Across the Transitions to Parenthood". *Journal of Experimental Social Psychology* 39, pp. 317-331, 2003.

Strickland, B. B. *The Gale Encyclopedia of Psychology*. Michigan: Gale Group, 2007.

Watson, J. B. *Psychological Care of Infant and Child*. Nova York: W. W. Norton Company, Inc., 1928.

## Sobre os autores

O Dr. Amir Levine, criado em Israel e no Canadá, sempre teve fascínio pelo cérebro e pela biologia. Sua mãe, uma editora especializada em divulgação científica que valorizava a criatividade e a automotivação, permitia que ele matasse aula sempre que quisesse para estudar algo que lhe interessava. Embora esse tipo de liberdade algumas vezes tenha causado problemas, durante o ensino médio ele escreveu seu primeiro trabalho em grande escala, sobre aves de rapina na Bíblia e nas antigas Assíria e Babilônia. A tese examinava a evolução do simbolismo partindo de uma cultura de múltiplas divindades até chegar ao monoteísmo. Depois do ensino médio, Levine serviu como adido de imprensa no Exército israelense. Trabalhou com jornalistas renomados como Thomas Friedman, Glenn Frankel e Ted Koppel, e foi premiado com uma menção de excelência.

Depois do serviço militar obrigatório, por ter descoberto uma paixão pelas pessoas além do amor pela ciência, Levine se matriculou na Escola de Medicina da Universidade Hebraica em Jerusalém, onde recebeu numerosos prêmios. Enquanto cursava medicina, organizou encontros dos alunos com o Dr. Eiferman, psicanalista, para conversar sobre o modo como os médicos podem preservar sua sensibilidade às necessidades dos pacientes hospitalizados enquanto lidam com uma complexa hierarquia hospitalar. Ganhou um prêmio do corpo docente por sua tese de graduação: "Sexualidade humana a partir da perspectiva da não conformidade de gênero na infância", adaptada posteriormente para um seminário universitário.

O interesse de Levine pelo comportamento humano o levou a fazer uma residência em psiquiatria de adultos no Hospital Presbiteriano de Nova York, no Instituto Psiquiátrico do Estado de Nova York, na Universidade Columbia, onde foi o primeiro da turma por três anos consecutivos. Recebeu diversos prêmios, entre eles um American Psychoanalytic Fellowship, o que lhe deu uma oportunidade rara de trabalhar com Jacob Arlow, psicanalista de renome mundial, já falecido. Em seguida, Levine se especializou na psiquiatria de adultos e de crianças. Enquanto trabalhava em um berçário terapêutico com mães que sofriam de estresse pós-traumático e seus bebês, ele testemunhou o poder do apego na cura e percebeu a importância dos princípios do apego, tanto na vida diária dos adultos quanto das crianças. Nos três anos finais do programa de fellowship, ele passou a fazer parte do laboratório do falecido James (Jimmy) Schwartz, renomado neurocientista.

Atualmente na Universidade Columbia, Levine é pesquisador principal, juntamente com o vencedor do prêmio Nobel Dr. Eric Kandel e a importante pesquisadora Dra. Denise Kandel, em um estudo patrocinado pelos National Institutes of Health. Ele também mantém um consultório particular em Manhattan.

Levine é certificado como psiquiatra de adultos e é membro da Associação Psiquiátrica Americana, da Academia Americana de Psiquiatria de Crianças e Adolescentes e da Sociedade de Neurociência.

Mora com a família na cidade de Nova York e em Southampton, Nova York.

\*\*\*

Rachel Heller se interessa pela cultura e pelo comportamento humanos desde sempre. Como filha de dois professores universitários – de história e de ciência política –, ela passou a infância nos Estados Unidos, na Inglaterra e em Israel, entre outros países. Talvez como resultado dessa experiência precoce e de seu profundo interesse em culturas diversas ela tenha se tornado uma ávida viajante, o que a levou a passar longas temporadas em países como Índia, Indonésia, Filipinas, Uganda, Quênia, Madagascar e Paquistão – onde fez trilhas no alto do Himalaia e aprendeu mais sobre as tradições locais, as caminhadas e as expedições.

Antes de entrar no ramo da psicologia, Heller trabalhou como guia de turismo para voluntários americanos, britânicos, australianos e sul-africanos no Exército israelense, como parte de seu serviço militar obrigatório. Mais tarde foi assessora de um representante do Knesset israelense, fazendo pesquisas sobre legislação e trabalhando no contato com a imprensa, especialmente em questões relacionadas a direitos humanos.

Heller é bacharel em ciências do comportamento (psicologia, antropologia e sociologia) e mestre em psicologia sócio-organizacional pela Universidade Columbia. Depois de concluir o mestrado, trabalhou para diversas consultorias de administração, entre elas, Pricewaterhouse-Coopers, KPMG e Towers Perin, em que lidou com grandes clientes.

Antes da recente mudança para a região da baía de São Francisco, onde mora com o marido e três filhos, Heller trabalhou para o Serviço de Psicologia Educacional em Modi'in, em Israel. Lá, ajudou famílias, casais e crianças provenientes de diversos níveis educacionais a aprimorar seus relacionamentos e suas vidas.

# CONHEÇA OUTROS TÍTULOS
## DA EDITORA SEXTANTE

*As cinco feridas emocionais*
Lise Bourbeau

Nossos problemas de ordem física, emocional e mental são fruto de cinco feridas que trazemos da infância: rejeição, abandono, humilhação, traição e injustiça.

Para tentar fazê-las desaparecer, desenvolvemos máscaras. Porém, com o passar do tempo, essas feridas se tornam ainda mais profundas e nos distanciam de quem somos de verdade.

Por meio de descrições detalhadas das feridas e de suas respectivas máscaras, Lise Bourbeau mostra como elas podem se refletir em nossa personalidade e até mesmo no formato do nosso corpo.

Você vai descobrir que é possível detectar a origem das dificuldades que enfrentamos. Dessa forma, podemos empreender uma jornada de cura, aceitando as experiências do passado e perdoando todos os aspectos de nós mesmos.

*A coragem de não agradar*
Ichiro Kishimi e Fumitake Koga

Com mais de 3 milhões de exemplares vendidos, *A coragem de não agradar* conta uma história capaz de iluminar nosso poder interior e nos permitir ser quem somos.

Inspirado nas ideias de Alfred Adler – um dos expoentes da psicologia ao lado de Sigmund Freud e Carl Jung –, o livro apresenta o debate transformador entre um jovem e um filósofo.

Ao longo de cinco noites, eles discutem temas como autoestima, raiva, autoaceitação e complexo de inferioridade. Aos poucos, fica claro que libertar-se das expectativas alheias e das dúvidas que nos paralisam e encontrar a coragem para mudar está ao alcance de todos.

Assim como nos diálogos de Platão, em que o conhecimento vai sendo construído através do debate, o filósofo oferece ao rapaz as ferramentas necessárias para que ele se torne capaz de se reinventar e de dizer não às limitações impostas por si mesmo e pelos outros.

*O poder dos quietos*
Susan Cain

Pelo menos um terço das pessoas que conhecemos é de introvertidos. Eles preferem ouvir a falar. Trabalham melhor por conta própria do que em grupo, são inventivos e criativos, mas não gostam de se autopromover.

Foram responsáveis por inúmeras contribuições fundamentais à sociedade, mas muitos de nós não sabemos disso por conta de um traço marcante de sua personalidade: eles são quietos.

Com uma fascinante pesquisa e histórias reais sobre anônimos e personalidades como Chopin, Einstein, Bill Gates e Barack Obama, *O poder dos quietos* mostra como pessoas reservadas podem se tornar grandes líderes e ser bem-sucedidas por causa da introversão, e não apesar dela.

Susan Cain explica como o Ideal da Extroversão nos levou a subestimar os introvertidos. Ao pressioná-los a serem mais expansivos, acabamos obstruindo sua criatividade e seu potencial de liderança, fazendo com que todo mundo saia perdendo.

Escrito com sensibilidade e bom humor, este livro ensina os introvertidos a tirar proveito de seu jeito de ser e aumentar sua autoconfiança. Tão importante quanto isso, também mostra que não precisamos tentar mudá-los para que eles alcancem seu pleno potencial.

## CONHEÇA ALGUNS DESTAQUES DE NOSSO CATÁLOGO

- Augusto Cury: Você é insubstituível (2,8 milhões de livros vendidos), Nunca desista de seus sonhos (2,7 milhões de livros vendidos) e O médico da emoção
- Dale Carnegie: Como fazer amigos e influenciar pessoas (16 milhões de livros vendidos) e Como evitar preocupações e começar a viver
- Brené Brown: A coragem de ser imperfeito – Como aceitar a própria vulnerabilidade e vencer a vergonha (900 mil livros vendidos)
- T. Harv Eker: Os segredos da mente milionária (3 milhões de livros vendidos)
- Gustavo Cerbasi: Casais inteligentes enriquecem juntos (1,2 milhão de livros vendidos) e Como organizar sua vida financeira
- Greg McKeown: Essencialismo – A disciplinada busca por menos (700 mil livros vendidos) e Sem esforço – Torne mais fácil o que é mais importante
- Haemin Sunim: As coisas que você só vê quando desacelera (700 mil livros vendidos) e Amor pelas coisas imperfeitas
- Ana Claudia Quintana Arantes: A morte é um dia que vale a pena viver (650 mil livros vendidos) e Pra vida toda valer a pena viver
- Ichiro Kishimi e Fumitake Koga: A coragem de não agradar – Como se libertar da opinião dos outros (350 mil livros vendidos)
- Simon Sinek: Comece pelo porquê (350 mil livros vendidos) e O jogo infinito
- Robert B. Cialdini: As armas da persuasão (500 mil livros vendidos)
- Eckhart Tolle: O poder do agora (1,2 milhão de livros vendidos)
- Edith Eva Eger: A bailarina de Auschwitz (600 mil livros vendidos)
- Cristina Núñez Pereira e Rafael R. Valcárcel: Emocionário – Um guia lúdico para lidar com as emoções (800 mil livros vendidos)
- Nizan Guanaes e Arthur Guerra: Você aguenta ser feliz? – Como cuidar da saúde mental e física para ter qualidade de vida
- Suhas Kshirsagar: Mude seus horários, mude sua vida – Como usar o relógio biológico para perder peso, reduzir o estresse e ter mais saúde e energia

sextante.com.br